AGATHA CHRISTIE

A CASA DO PENHASCO

Um caso de Hercule Poirot

TRADUÇÃO
Lais Myriam Pereira Lira

Rio de Janeiro, 2021

Título original: PERIL AT END HOUSE
© Agatha Christie Limited 1932

Direitos de edição da obra em língua portuguesa no Brasil adquiridos pela CASA DOS LIVROS EDITORA LTDA. Todos os direitos reservados. Nenhuma parte desta obra pode ser apropriada e estocada em sistema de banco de dados ou processo similar, em qualquer forma ou meio, seja eletrônico, de fotocópia, gravação etc., sem a permissão do detentor do copyright.

Revisão: Cláudia Ajúz, Elisa Rosa, Eni Valentim Torres, M. Elisabeth Padilha C. Mello e Guilherme Bernardo
Diagramação Lúcio Nöthlich Pimentel
Projeto gráfico de capa: Maquinaria Studio

CIP-Brasil. Catalogação-na-fonte
Sindicato Nacional dos Editores de Livros, RJ

C479c
    Christie, Agatha
        A casa do penhasco : um caso de Hercule Poirot / Agatha Christie ; tradução Lais Myriam Pereira Lira. - 1. ed. - Rio de Janeiro : HarperCollins Brasil, 2016.
        226 p. ; 21 cm.

    Tradução de: Peril at end house
    ISBN 978.85.6980.948-7

      1. Ficção britânica. I. Lira, Lais Myriam Pereira. II. Título.

CDD: 823
CDU: 821.111-3

Rua da Quitanda, 86, sala 218 – Centro – 20091-005
Rio de Janeiro – RJ – Brasil
Tel.: (21) 3175-1030

A Eden Phillpotts,
a quem sempre serei grata
pela amizade e pelo estímulo
que me deu por tantos anos.

Sumário

Só um louco mata sem razão 9
Personagens 11
1. O hotel Majestic 13
2. A Casa do Penhasco 25
3. Acidentes ou tentativas de homicídio? 37
4. Uma pista no ar 49
5. Sr. e sra. Croft 57
6. Uma visita ao sr. Vyse 67
7. Tragédia 75
8. O xale fatal 83
9. De A. a J. 91
10. O segredo de Nick 105
11. O motivo 115
12. Ellen 121
13. Cartas 131
14. O testamento extraviado 139
15. O estranho comportamento de Frederica 149

16. Conversa com o sr. Whitfield 157

17. A caixa de bombons 169

18. Um rosto na janela 181

19. Poirot dirige uma peça 195

20. J. 203

21. K. 207

22. O fim da história... 211

Só um louco mata sem razão

Hercule Poirot desconfiava que a pessoa que queria matar a srta. Nick Buckley devia ter seus motivos, mas ele não tinha conseguido descobrir nenhum deles, pelo menos entre os suspeitos:

ELLEN — *sendo empregada na misteriosa Casa do Penhasco, ela teria tempo de sobra para encenar os acidentes que perseguiam sua patroa; porém, ela seria prejudicada com a morte da srta. Nick.*

SR. CROFT — *o alegre australiano vivia no chalé próximo à Casa do Penhasco. Tinha facilidade de acesso à casa, mas nenhuma razão para matar.*

FREDERICA RICE — *embora nada a associasse aos atentados, a melhor amiga de Nick não estava realmente no lugar onde disse que estava no momento de cada acidente.*

CHARLES VYSE — *era a única pessoa que teria lucro financeiro, mas a casa velha e sem valor que receberia como herança não justificava um assassinato.*

COMANDANTE CHALLENGER — *o atraente oficial de marinha estava apaixonado por Nick. Como poderia desejar sua morte?*

Nenhuma razão. Nenhum motivo! Poirot, contrariado, amassou sua lista de suspeitos. Ninguém tinha razão para matar. No entanto, alguém tentara não uma, mas quatro vezes! O motivo havia de existir. E Poirot tinha de descobri-lo antes que fosse tarde demais.

Personagens

Hercule Poirot — sua vaidade sem limites só se podia igualar à sua infalível perícia como detetive particular.

Capitão Hastings — companheiro sempre fiel do grande Poirot. Chegou a pensar que os poderes de seu velho amigo estivessem chegando ao fim.

Nick Buckley — a jovem e irrequieta dona da Casa do Penhasco tentava ignorar que, em três ocasiões, escapara por um triz da morte violenta.

Comandante George Challenger — sua educação e seus modos antigos ganharam a confiança de Hastings e afastaram a jovem e moderna Nick.

Ellen — a calada empregada da Casa do Penhasco sabia muito mais do que queria revelar a respeito da atmosfera maléfica que rodeava a velha propriedade dos Buckley.

Jim Lazarus — filho de um famoso negociante de quadros, dedicava mais tempo às mulheres e aos carros esportivos do que aos negócios da família.

Charles Vyse — um jovem pálido e correto, levava muito a sério suas responsabilidades como advogado de sua prima Nick.

BERT e MILLIE CROFT — os inquilinos australianos cujo pagamento pontual do aluguel era bem-vindo, mas cuja excessiva amabilidade desagradava.

FREDERICA RICE — tinha um rosto de Madona fatigada e um passado de sofrimento.

MAGGIE BUCKLEY — a prima do interior, única cuja presença na Casa do Penhasco poderia afastar o perigo.

INSPETOR JAPP — da Scotland Yard. O caso não lhe pertencia, mas ele gostava de ajudar o velho amigo Poirot.

1
O hotel Majestic

Nenhuma cidadezinha litorânea da Inglaterra é tão atraente quanto Saint Loo. O título que lhe deram de Rainha das Cidades Balneárias é bem adequado, e a cidade em si lembra muito a Riviera. A costa da Cornualha, na minha opinião, é tão fascinante quanto a do sul da França.

Eu disse isso ao meu amigo, Hercule Poirot.

— Tudo isso estava escrito no cardápio do vagão-restaurante ontem, meu amigo. Sua observação não é original.

— Mas você não concorda?

Ele sorria para si mesmo e não respondeu logo à minha pergunta. Repeti.

— Mil perdões, Hastings. Meus pensamentos vagavam. Aliás, vagavam exatamente nessa parte do mundo que você acaba de mencionar.

— O sul da França?

— Sim. E eu pensava no último inverno que passei lá e em tudo o que aconteceu.

Eu me lembrava bem. Tinham cometido um crime no Trem Azul, e o mistério, complicado e desconcertante, tinha sido esclarecido por Poirot com a perícia habitual.

— Como gostaria de ter estado lá — disse eu com pesar.

— Eu também. Sua experiência me teria valido muito.

Olhei para ele de soslaio. É velho hábito meu sempre desconfiar de seus elogios, mas ele me parecia sério. E afinal, por que não? Tenho longa experiência com os métodos que emprega.

— O que me fez mais falta foi sua imaginação fértil, Hastings. Todos precisam de um certo alívio. Meu camareiro Georges, um homem admirável, com quem às vezes me permito discutir um ou outro problema, não tem nenhuma imaginação.

Essa observação me pareceu definitivamente irrelevante.

— Você nunca pensou em tentar recomeçar suas atividades, Poirot? — indaguei. — Esta vida passiva...

— É exatamente o que desejo, meu amigo. Que pode ser mais agradável que sentar ao sol? E existe gesto mais grandioso que descer do pedestal no ápice de sua fama? Dizem a meu respeito: "Aquele é Hercule Poirot, o grande, o único! Nunca houve ninguém como ele e nunca haverá!" Pois bem, estou satisfeito. Nada mais desejo. Sou modesto.

Eu não deveria usar a palavra *modesto* nesta narrativa. O egocentrismo de meu amigo não tinha certamente diminuído com o correr dos anos. Reclinou-se na cadeira, acariciando o bigode e ronronando de satisfação.

Estávamos sentados numa das varandas do hotel Majestic. É o maior hotel de Saint Loo, com terreno próprio, e situado sobre um promontório com vista para o mar. Os jardins do hotel se estendiam diante de nós, salpicados de palmeiras. O mar era de um belo azul profundo, o céu claro, e o sol brilhava com todo o ardor de um verdadeiro sol de agosto, o que é raro na Inglaterra. Ouvia-se no ar um agradável zumbido de abelhas. Tudo concorria para uma atmosfera ideal.

Tínhamos acabado de chegar na noite anterior, e aquela era a primeira manhã de uma semana de férias. Se o tempo continuasse como estava, seriam as férias perfeitas.

Apanhei o jornal da manhã que caíra das minhas mãos e continuei a passar os olhos pelas notícias. A situação política parecia insatisfatória e sem interesse maior: havia desordem na China, um grande roubo na cidade e nada mais digno de nota.

— Que coisa curiosa, essa doença transmitida por papagaios — observei enquanto virava a página.

— Muito curiosa.

— Duas mortes em Leeds, diz aqui no jornal.

— Meus pêsames.

Virei a página.

— Ainda não há notícias daquele aviador, Seton, que ia dar a volta ao mundo. Muito corajosos esses sujeitos. Aquela máquina anfíbia, o Albatroz, deve ser uma grande invenção. Foi uma pena ele ir para o oeste. Mas não desistiram ainda: ele pode estar numa das ilhas do Pacífico.

— As ilhas Salomão ainda são canibais, não são? — indagou Poirot.

— Ele deve ser um bom sujeito. Esse tipo de coisa faz com que me sinta orgulhoso de ser súdito britânico.

— Sempre consola das derrotas em Wimbledon — disse Poirot.

— Eu... Eu não quis dizer... — comecei eu, gaguejando.

Meu amigo apenas afastou minhas desculpas com um gesto de mão.

— Eu não sou anfíbio, como a máquina do pobre capitão Seton, mas sou cosmopolita. E sempre tive grande admiração pelos ingleses, você sabe disso. Admiro, por exemplo, a maneira como leem o jornal inteiro, da primeira à última página.

As notícias políticas já tinham atraído minha atenção.

— Parece que o ministro do Interior está passando por maus momentos — observei com um sorriso.

— Pobre homem. Tem sérios aborrecimentos. Tão sérios que pede auxílio às pessoas mais improváveis.

Olhei para ele.

Com um pequeno sorriso, Poirot tirou do bolso a correspondência matinal, amarrada com um elástico. Desse maço ele tirou uma carta que jogou em minha direção.

— Devíamos tê-la recebido ontem — disse ele.

Li a carta com agradável sensação de ansiedade.

— Mas, Poirot, isso é muito elogioso!

—Você acha, meu amigo?

— Ele fala com o maior entusiasmo de sua habilidade.

— Ele está certo — disse Poirot, modestamente desviando os olhos.

— Ele lhe pede que investigue esse caso para ele e coloca o pedido em termos pessoais.

— Eu sei. Não é necessário repetir tudo isso para mim. Já li a carta eu mesmo, meu caro Hastings.

— Que pena! — exclamei. — É o fim de nossas férias.

— Não, não. Acalme-se. Não há razão para isso.

— Mas o ministro do Interior diz que o assunto é urgente.

— Ele pode estar certo ou não. Esses políticos se exaltam com muita facilidade. Eu já vi, na Câmara dos Deputados em Paris...

— Sim, sim, mas, Poirot, precisamos tomar providências. O expresso para Londres já partiu: sai sempre às doze horas. O próximo...

— Acalme-se, Hastings, peço-lhe. Sempre esse alvoroço, essa agitação. Nós não vamos para Londres nem hoje, nem amanhã.

— Mas esse chamado...

— Não me importa. Não pertenço à força policial inglesa, Hastings. Pediram-me que me encarregasse de um caso como detetive particular, e eu recusei.

—Você recusou?

— Claro. Respondi com toda polidez, apresentei meus sentimentos, minhas desculpas, expliquei que estava desolado. Que quer? Aposentei-me. Estou acabado.

— Não. Você não está! — exclamei com entusiasmo.

Poirot bateu-me no joelho.

— É o bom amigo que assim fala, o cão fiel. E você tem razão. A massa cinzenta ainda funciona: a ordem, o método. Está tudo aqui. Mas quando decido aposentar-me, meu caro, é irreversível. Ponto final! Não sou estrela de palco que se despede do mundo uma porção de vezes. É preciso ser generoso e dar oportunidade a gente mais moça. Eles podem até realizar algo que valha a pena.

Duvido, mas quem sabe? De qualquer maneira, eles saberão o que fazer nesse caso obviamente enfadonho do ministro do Interior.

— Mas, Poirot, o elogio!

— Estou acima de elogios. O ministro do Interior, homem sensato, sabe perfeitamente que, se obtiver meus serviços, tudo se resolverá bem. Mas que posso fazer? Falta de sorte a dele. Hercule Poirot já solucionou seu último caso.

Olhei para ele. No fundo, eu lastimava sua teimosia. A solução de um caso como o do ministro do Interior aumentaria ainda mais sua reputação no mundo inteiro. Em todo caso, eu não podia deixar de admirar sua obstinação inabalável.

De repente ocorreu-me algo que me fez sorrir.

— Será que você não tem medo de fazer afirmações tão categóricas? Poderia até tentar as forças divinas.

— É impossível que alguém possa abalar uma decisão de Hercule Poirot.

— Impossível mesmo, Poirot?

—Você está certo, *mon ami,* ninguém deve usar essa palavra. Se um tiro me raspasse a cabeça, não poderia dizer que não iria investigar. Afinal de contas, todos somos humanos.

Sorri. Uma pedrinha caíra perto de nós, e a analogia com o que Poirot acabara de dizer despertou minha fantasia. Ele apanhou a pedrinha e continuou.

— É verdade. Todos somos humanos. Somos como cães profundamente adormecidos, porém cães podem ser despertados a qualquer momento. Existe um provérbio qualquer na sua língua a esse respeito.

— De fato: se você encontrar um punhal cravado perto de seu travesseiro, o criminoso que se cuide na manhã seguinte.

Poirot concordou distraidamente.

De repente, para surpresa minha, levantou-se e desceu os degraus para o jardim. Ao mesmo tempo, avistei uma jovem que corria em nossa direção.

Eu já tinha percebido que ela era muito bonita, quando minha atenção foi atraída para Poirot, que, sem notar onde pisava, tropeçou numa raiz e caiu, bem diante da jovem. Nós dois o ajudamos a levantar-se. Toda a minha atenção estava concentrada em Poirot, mas eu tinha perfeita consciência da presença de uns cabelos negros, de uns grandes olhos azuis e profundos, e de uma carinha travessa.

— Mil perdões, Mademoiselle. É muito amável. Sinto-me envergonhado, mas... ai!... meu pé dói horrivelmente! — gaguejou Poirot. — Não, não é nada. Apenas uma luxação. Em poucos minutos estarei bom. Mas se você, Hastings, puder ajudar junto com a moça, se ela não se importar, será melhor eu voltar para a varanda. Fico até sem jeito de lhe pedir auxílio, senhorita.

A garota de um lado e eu de outro, levamos Poirot até a cadeira da varanda. Sugeri a vinda de um médico, mas meu amigo recusou terminantemente.

— Não é nada, já lhe disse. Apenas torci o tornozelo, só isso. É doloroso na hora, mas logo depois passa. — Virando-se para a jovem, continuou: — Mademoiselle, mil vezes obrigado! Foi muito gentil. Não quer sentar-se, por favor?

A jovem sentou-se.

— Sei que não é nada, mas é bom que um médico dê uma olhada — disse ela.

— Mademoiselle, garanto-lhe que é uma bobagem. O prazer de sua companhia faz passar qualquer dor.

— Que ótimo! — riu a garota.

— Que tal um drinque? — sugeri. — Acho que está na hora.

— Bem... — ela hesitou. Depois acabou aceitando. — Quero sim, obrigada.

— Martíni?

— Sim, por favor. Martíni seco.

Saí. Quando voltei, depois de ter pedido os drinques, encontrei Poirot e a jovem no meio de uma conversa animadíssima.

— Imagine, Hastings, que a casa na ponta do rochedo, aquela de que gostamos tanto, pertence a esta senhorita — disse Poirot.

— É mesmo? — respondi, embora não me lembrasse de ter dito que gostava da tal casa. Aliás, nem me recordava direito dela. — Ela parece imponente e até um pouco sinistra assim tão isolada, longe de tudo.

— É a Casa do Penhasco — disse a jovem. — Eu a adoro, mas é uma velharia, caindo aos pedaços.

— A senhorita é a última descendente de uma família tradicional?

— Ora, não somos importantes, mas têm existido Buckleys por aqui pelos últimos dois ou três séculos. Meu irmão morreu há três anos, e eu sou a última Buckley.

— É triste, Mademoiselle. Vive lá sozinha?

— Imagine, viajo muito e, quando estou em casa, há sempre um grupo alegre de amigos chegando ou partindo.

— Soa muito moderno. E eu, que a imaginava habitando uma escura mansão mal-assombrada, perseguida por maldições de família!

— Que maravilha! E que imaginação fértil a sua. — Fez uma pausa e continuou: — Não. A casa não é mal-assombrada. Se é, deve ter um fantasma bonzinho. Escapei três vezes da morte em tão poucos dias que hoje acredito estar sob algum tipo de encanto.

Poirot interessou-se.

— Escapou da morte? Parece muito interessante, Mademoiselle.

— Ora, não foi tão emocionante assim. Só acidentes. — Ela virou a cabeça rapidamente para escapar de uma vespa que passou voando. — Malditas vespas! Deve haver um ninho delas por aqui.

— Abelhas e vespas não lhe agradam, Mademoiselle? Já foi picada alguma vez?

— Não, mas odeio a mania que têm de passar rente ao rosto das pessoas.

— A abelha dentro do chapéu... É uma expressão em língua inglesa.

Naquele momento os drinques chegaram. Levantamos o copo e fizemos as habituais saudações e observações vazias.

—Tinha de estar no hotel para a hora dos drinques — disse a srta. Buckley. — Espero que estejam sentindo minha falta.

Poirot pigarreou e pôs o copo na mesa.

— Gostaria de tomar uma boa xícara de chocolate quente neste momento, mas na Inglaterra não sabem fazer um bom chocolate. Mesmo assim, vocês têm hábitos agradáveis. Por exemplo, os chapéus das jovens caem com muita facilidade... E voltam às cabecinhas tão encantadoramente como caíram.

A moça olhou para Poirot meio espantada.

— E por que não poderiam cair e voltar? Que quer dizer?

— A senhorita pergunta porque é jovem... jovem demais. Para mim, o normal seria usar o cabelo preso bem firme no alto. E o chapéu pregado no lugar com alfinetes de chapéu, muitos alfinetes: *um aqui, outro aqui, outro aqui...*

Poirot executou três gestos bruscos no ar, como se fossem golpes.

— Como deve ser incômodo!

— É, eu também acho — disse Poirot com ênfase digna de uma mulher martirizada pelos tais alfinetes. — E quando o vento soprava, era uma agonia: começava logo uma enxaqueca.

A srta. Buckley tirou da cabeça o chapéu de feltro, simples e de abas largas, e colocou-o ao lado da cadeira.

— Agora é só fazer assim — disse ela rindo.

— O que me parece mais sensato e encantador também — disse Poirot com uma mesura.

Olhei para ela interessado. O cabelo escuro em desordem dava-lhe um ar travesso de duende. Havia qualquer coisa de fada nela: o rostinho expressivo, em forma de amor-perfeito, os enormes olhos azul-escuros e algo mais... algo de sobrenatural e cativante. Seria uma suspeita de atrevimento, audácia? Havia olheiras sob os olhos.

O terraço onde estávamos não era muito frequentado. A varanda principal onde quase todos ficavam era do outro lado, num ponto onde o promontório descia diretamente para o mar.

Vindo desse outro lado, surgiu naquele momento um homem corado, de andar gingado, os punhos meio cerrados. Parecia um típico homem do mar, alegre e despreocupado.

— Não posso imaginar onde essa menina se meteu — dizia ele, num tom de voz que ouvimos facilmente de onde estávamos.

— Nick! Nick!

A srta. Buckley levantou-se.

— Sabia que iam ficar aflitos! — E virando-se para o rapaz, gritou: — George, estou aqui.

— Freddie está louca por um drinque. Vamos logo.

O rapaz lançou um olhar de franca curiosidade para Poirot, que deveria ser completamente diferente do resto dos amigos de Nick.

A moça iniciou as apresentações.

— Este é o comandante Challenger, e este... — disse ela, indicando Poirot com um gesto de mão.

Para minha grande surpresa, Poirot não deu seu nome como ela esperava. Em vez disso, ele se levantou, cumprimentou cerimoniosamente e murmurou:

— Da Marinha britânica, suponho. Tenho grande respeito pela Marinha britânica.

Esse tipo de comentário não costuma agradar a um inglês. O comandante Challenger ficou mais vermelho ainda. Nick Buckley procurou amenizar a situação.

— Vamos logo, George. Não fique aí de boca aberta. Vamos procurar Freddie e Jim.

Ela sorriu para Poirot.

— Obrigada pelo drinque. Espero que seu tornozelo fique bom.

Com um cumprimento de cabeça para mim, ela deu o braço ao comandante e desapareceram os dois em direção à outra varanda.

— Então esse é um dos amigos da Mademoiselle — murmurou Poirot pensativo. — Faz parte daquele grupo alegre. Que acha você dele? Dê-me sua opinião de homem experiente, Hastings. Ele é o que você chama de "bom sujeito"?

Fiz uma pausa para tentar descobrir exatamente a opinião de Poirot sobre o que significava para mim ser "um bom sujeito". Por fim, afirmei, sem muita convicção:

— Ele parece ser "bom sujeito", até onde se pode ver num encontro casual.

— Será mesmo? — disse Poirot.

A moça tinha esquecido o chapéu. Poirot apanhou-o do chão e girou-o distraidamente no dedo.

—Você acha que ele tem uma certa queda por ela, Hastings?

— Meu caro Poirot, como poderia saber? Escute aqui: dê-me o chapéu. A moça vai sentir falta dele. Vou levá-lo para ela.

Poirot não deu atenção ao meu pedido. Continuou a girar o chapéu lentamente no dedo.

— Ainda não. Isso me distrai.

— Ora, Poirot!

— Pois é, meu amigo, torno-me cada vez mais um velho infantil, não é?

Suas palavras expressavam tão bem o que eu estava pensando que fiquei sem jeito.

Poirot deu uma risadinha e, curvando-se para a frente, apoiou o dedo na lateral do nariz.

— Não. Não pense que sou tão imbecil assim. Nós devolveremos o chapéu, é claro. Mais tarde, porém. Vamos levá-lo à Casa do Penhasco e assim teremos oportunidade de ver outra vez a encantadora srta. Nick.

— Poirot, creio que você se apaixonou.

— Ela é bonita, não é?

— Ora! Você já viu com seus próprios olhos. Por que pergunta?

— Porque, afinal de contas, não posso julgar. Para mim, hoje em dia, qualquer jovem é bonita. Mocidade... Mocidade... É a tragédia de meus dias. Mas será que devo pedir sua ajuda, Hastings? Sua opinião não é moderna, naturalmente, tendo vivido tanto tempo na Argentina. O tipo de corpo de que você gosta é o de cinco anos atrás, mas de qualquer maneira você é mais moderno do que eu. Ela é bonita, não é? E atrai os sexos também, não acha?

— Atrair só um sexo — o oposto — já é mais que suficiente, Poirot. Sim, ela é muito atraente. Por que está tão interessado na moça?

— Estou?

— Basta ver o que acabou de perguntar.

— Você não entendeu, *mon ami*. Posso estar interessado na moça, porém estou muito mais interessado no chapéu dela.

Olhei para ele estarrecido, mas ele parecia falar sério.

— É, Hastings. Este chapéu aqui. Já notou a razão de meu interesse? — E ele me estendeu o chapéu.

— É um chapéu bonitinho — disse eu meio desnorteado.

— Mas é muito comum. Uma porção de moças tem chapéus como esse.

— Como este em particular, não.

Examinei o chapéu mais minuciosamente.

— Já percebeu, Hastings?

— Um chapéu de feltro castanho, muito simples. Bom estilo...

— Não lhe pedi para descrever o chapéu. Está claro que você não percebeu. É incrível, meu pobre Hastings, como você quase nunca percebe as coisas. Espanto-me sempre com isso! *Olhe*, meu caro imbecil, *olhe*! Não é preciso usar a massa cinzenta. Bastam os olhos. *Olhe! Olhe* com olhos de ver!

Finalmente vi o que ele estava tentando mostrar: o chapéu girava devagar em seu dedo, e esse dedo atravessava direitinho um furo na aba. Quando ele percebeu que eu havia notado o que desejava, tirou o dedo do buraco da aba e me estendeu o chapéu. Era um furinho pequeno, bem redondo, e eu não podia imaginar sua finalidade, se é que tinha alguma.

—Você observou como a Mademoiselle se esquivou quando uma vespa passou voando perto dela? A abelha dentro do chapéu, e o furo...

— Mas uma abelha ou uma vespa nunca poderiam fazer um buraco assim.
— Exatamente, Hastings. Que perspicácia! Naturalmente que não poderiam. Mas um tiro poderia, *mon cher*.
— Um tiro?
— Uma bala como esta.
Estendeu-me a mão em cuja palma se via um pequeno objeto.
— Uma bala disparada, *mon ami*. Foi o que bateu no chão da varanda há pouco, quando conversávamos. Uma bala!
—Você quer dizer que...
— O que quero dizer é que com uma polegada de diferença, o buraco não estaria na aba do chapéu e sim na cabeça. Agora você percebe por que estou interessado, Hastings? Você acertou quando me disse para não usar a palavra impossível, meu amigo. É verdade: todos somos humanos. Mas o criminoso frustrado cometeu um erro grave quando atirou em sua vítima perto de Hercule Poirot. Para ele foi realmente má sorte. Percebe agora por que precisamos ir à Casa do Penhasco e entrar em contato com a Mademoiselle Buckley? Por três vezes, em três dias, ela escapou da morte. Foi o que ela disse. Precisamos agir com rapidez, Hastings. O perigo é iminente.

2
A Casa do Penhasco

— Poirot — disse eu —, estive pensando.

— Um exercício admirável, meu caro. Continue praticando.

Era hora de almoço, e estávamos sentados, um em frente ao outro, a uma mesa perto da janela.

— O tiro deve ter sido dado bem próximo a nós e, no entanto, não ouvimos nada.

— E você naturalmente pensa que, naquela tranquilidade e silêncio só quebrado pelo marulho das ondas, nós deveríamos ter escutado, não é?

— Bem, de qualquer maneira, é estranho.

— Não, não é estranho. Você se habitua a determinados sons a tal ponto que sua mente nem os registra mais depois de certo tempo. Durante toda a manhã, lanchas cruzaram a baía: no princípio você reclamou, mas depois nem notou mais o ruído delas. Creio que o barulho dessas lanchas afogaria completamente os tiros de uma metralhadora.

— É. Você tem razão.

— *Ah! Voilà* — murmurou Poirot. — Parece que a senhorita e seus amigos vão almoçar aqui. Portanto, preciso devolver o chapéu. Mas creio que o caso é suficientemente sério e exige uma visita especial.

Levantou-se, atravessou a sala rapidamente e, com uma mesura, entregou o chapéu no momento em que Nick Buckley e seus companheiros se sentavam.

Era um grupo de quatro: Nick Buckley, comandante Challenger e um outro casal. De onde estávamos, não se podia vê-los muito bem. De vez em quando a risada do comandante ressoava. Ele parecia ser uma alma simples e agradável, e me tinha conquistado a simpatia.

Meu amigo esteve calado e distraído durante nossa refeição. Esmigalhou o pão, falou baixinho consigo mesmo e arrumou tudo o que estava em cima da mesa. Tentei entabular uma conversa, não tive nenhum sucesso e desisti.

Poirot continuou sentado por longo tempo depois de terminar o queijo. Assim que o outro grupo deixou a sala, ele se levantou. Eles estavam se acomodando a uma mesa na sala de estar quando Poirot marchou para eles, quase de forma marcial, e se dirigiu frontalmente a Nick.

— Mademoiselle, desejo falar-lhe.

A moça franziu a testa. Vi logo o que devia estar pensando. Ela receava que aquele homenzinho esquisito viesse a ser um transtorno. Eu a compreendia muito bem, levando em conta as aparências. Quase involuntariamente, ela recuou um passo. Mas logo depois uma expressão de surpresa se estampou em seus olhos à medida que Poirot lhe falava baixinho.

Enquanto isso, eu não me sentia nada à vontade. Challenger discretamente veio em meu socorro, oferecendo-me cigarros e fazendo comentários sem consequências. Nós nos tínhamos avaliado mutuamente, e a simpatia era recíproca. Creio que eu fazia mais seu gênero do que o homem com quem ele havia almoçado e que somente agora eu podia observar bem. Era um rapaz alto, claro, refinado, com o nariz um pouco largo. Um tanto bonito demais na minha opinião. Tinha um ar arrogante e a voz arrastada: o que mais me desagradou porém foi sua polidez exagerada.

Olhei então para a mulher. Estava sentada de frente para mim numa poltrona grande. Acabava de tirar o chapéu. Não era um tipo comum, parecia uma Madona cansada. Usava os cabelos louros quase sem cor, repartidos ao meio, em coque sobre a nuca e cobrindo as orelhas. Seu rosto era pálido e macilento, porém curiosamente atraente. Os olhos, com pupilas grandes, de um cinzento bem claro, olhavam-me fixamente. Tinha um ar distante. De repente ela se dirigiu a mim.

— Sente-se até que seu amigo termine com Nick.

Era uma voz afetada, lânguida, artificial, mas que possuía um curioso poder de atração, uma espécie de ressonância que permanecia como que suspensa no ar. A mulher me dava a impressão de ser a pessoa mais fatigada que eu já tinha visto: mentalmente cansada, não fisicamente. Era como se ela achasse tudo no mundo vazio e sem finalidade.

— A srta. Buckley muito gentilmente auxiliou meu amigo esta manhã quando ele torceu o pé — expliquei enquanto sentava.

— É, ela me disse. — Os olhos me examinaram, ainda com ar distante. — Não me parece haver nada de errado com o pé dele agora.

Senti-me encabulado.

— Foi somente uma distensão momentânea — expliquei.

— Ainda bem. Pensei que Nick tivesse inventado toda essa história. Ela é a maior mentirosazinha que Deus já colocou na terra! É espantosa sua imaginação: é como se fosse um dom especial.

Eu nem sabia o que dizer, e meu embaraço parecia diverti-la.

— Nick é uma de minhas amigas mais antigas — disse ela —, e eu sempre achei a lealdade uma virtude muito cansativa. Principalmente quando é observada pelos escoceses, como a usura e o sabá. Mas Nick é mesmo mentirosa, não é, Jim? Lembra-se daquela história dos freios do carro? E afinal os freios funcionavam muito bem, segundo disse Jim.

— Entendo alguma coisa de carros — disse o homem louro com uma voz macia. Ele olhou para fora. Entre os outros, estava um carro vermelho e longo. Parecia mais longo e mais vermelho que qualquer carro comum. A capota era de metal polido. Um supercarro.

— É seu aquele carro? — perguntei.

Ele confirmou com um gesto de cabeça:

— É, sim.

Tive um ímpeto quase irresistível de dizer: só podia ser! Naquele momento Poirot aproximou-se de nós. Levantei-me, ele tomou-me pelo braço e, com um cumprimento de cabeça para os outros, levou-me rapidamente para longe.

— Já está tudo combinado, meu amigo. Vamos visitar a senhorita na Casa do Penhasco às 18h30. Ela já terá voltado do passeio a essa hora. Creio que já terá voltado e com saúde perfeita, espero.

Sua expressão era de ansiedade e o tom preocupado.

— O que você lhe disse, Poirot?

— Pedi a ela que me concedesse uma palavra assim que pudesse. Ela não gostou muito da ideia, é claro. Está se perguntando, e eu quase posso ver as dúvidas em sua mente: "Quem é este homenzinho? Será um aproveitador? Um oportunista? Um diretor de cinema?" Se ela pudesse recusar, ela o faria — continuou Poirot. — Mas é difícil, assim de repente. Por isso pedi o encontro como se fosse uma ideia de momento, e ela consentiu, dizendo que estaria de volta às 18h30.

Respondi então que tudo parecia bem encaminhado, mas Poirot não parecia concordar. Ele estava mais agitado que um gato assustado. Passeou para lá e para cá em nosso apartamento durante toda a tarde: falava sozinho sem cessar, gesticulava e rearranjava tudo que já estava arrumado. Quando eu lhe dirigia a palavra, ele abanava as mãos e sacudia a cabeça.

Finalmente saímos do hotel quando não eram nem seis horas ainda.

— Parece incrível — disse eu, enquanto descíamos — que tentem matar alguém no jardim de um hotel. Só um louco faria uma coisa dessas.

— Não concordo — disse Poirot. — Nas condições presentes, parece-me bastante seguro. Para começar, o jardim está sempre deserto. As pessoas que se hospedam em hotéis são como rebanhos de carneiros: se o hábito é sentar-se virado para o mar, todo mundo se senta virado para o mar. Só eu, que sou original, sentei-me virado para o jardim. E mesmo assim não vi nada. Há muita cobertura: árvores, palmeiras, touceiras floridas. Qualquer pessoa poderia esconder-se confortavelmente e esperar, sem ser visto, até que a Mademoiselle Buckley passasse por aqui. E ela viria sem a menor sombra de dúvida. Vir pela estrada da Casa do Penhasco ficaria muito mais distante, e ela é do tipo que está sempre atrasado e por isso prefere os atalhos mais curtos.

— De qualquer maneira, o risco é enorme. Ele poderia ser visto, e você não pode fazer uma tentativa de assassinato parecer um acidente, assim sem mais nem menos.

— Não, não. Acidente não.

— Que quer dizer com isso?

— Nada, nada. É só uma ideia que me ocorreu e pode não ser verdadeira. Deixando essa discussão de lado por enquanto, há algo que mencionei antes: uma condição essencial.

— E qual é?

— Ora, Hastings, diga-me você. Qual é?

— Eu não lhe tiraria o prazer de me fazer de idiota, Poirot.

— Ah! Sarcasmo! Ironia! Mas vou dizer-lhe: o que salta aos olhos é que o motivo não poderia ser óbvio. Se fosse, então o risco seria grande demais. As pessoas diriam: "Será que não foi fulano? Onde andava fulano no momento dos tiros?" Não, não. O assassino, ou assassino em potencial, não *pode* ser óbvio. E é por isso, Hastings, que estou tão assustado. Procuro acalmar-me lembrando que são quatro no passeio. Nada pode acontecer se os quatro ficarem juntos. Seria loucura do assassino! Mas mesmo assim tenho medo: preciso saber mais sobre esse "acidente".

Poirot voltou-se abruptamente.

— É muito cedo — disse ele. — Vamos pela estrada da casa. O jardim já não oferece novidade. Vamos examinar o caminho ortodoxo para a Casa do Penhasco.

Saímos pelo portão principal do hotel, subimos uma escadaria íngreme, e lá em cima havia um caminhozinho com uma tabuleta: "Exclusivamente para a Casa do Penhasco".

Seguimos pela trilha e, depois de algumas centenas de metros, havia uma curva acentuada, e logo chegamos a uns portões caindo de velhice, que bem precisavam de uma pintura, pelo menos.

Do lado de dentro, à direita, havia um chalé. Esse chalé fazia um contraste gritante com os portões e o caminho coberto de capim. As janelas pintadas recentemente ostentavam cortinas novas e limpas. O jardim viçoso parecia agradecer os cuidados constantes de alguém.

De fato, curvado sobre um canteiro, via-se um homem com uma jaqueta desbotada. Levantou-se e virou-se quando ouviu o ranger dos portões. Era um homem de seus sessenta anos, um metro e oitenta pelo menos, forte e com o rosto marcado pelas intempéries. Era quase completamente careca. Os olhos eram azuis e vivos. Parecia uma boa alma.

— Boa tarde — cumprimentou ele.

Respondi-lhe. Enquanto seguíamos pelo caminho, eu tinha consciência daqueles olhos azuis examinando inquisitivamente nossas costas.

— Estou imaginando... — disse Poirot pensativo.

Calou-se e não deu a menor explicação sobre o que poderia estar imaginando.

A casa era grande e sombria. Grandes árvores a cercavam, e os galhos maiores chegavam a tocar o teto. Precisava urgentemente de consertos. Poirot examinou a casa, avaliando-a, antes de tocar a campainha. Era uma campainha antiga que só tocava depois de esforços hercúleos para puxar a corda. Quando começava a tocar não parava mais.

Uma senhora de meia-idade abriu a porta. Eu a classifiquei imediatamente como "uma senhora decente vestida de preto". Muito respeitável, bastante lúgubre e completamente desinteressante.

A srta. Buckley ainda não tinha voltado, disse ela. Poirot explicou que nós tínhamos um encontro marcado, no que teve certa dificuldade, pois ela era do tipo que desconfia de estrangeiros. Sinto-me envaidecido em declarar que fui eu quem conseguiu algum resultado com ela. Deixou-nos entrar afinal e nos levou até a sala para esperarmos a srta. Buckley.

A sala não tinha nada de triste. Dava para o mar e estava inundada de sol. O mobiliário era ordinário em parte e mostrava uma mistura de estilos: moderno barato e vitoriano de boa qualidade. As cortinas eram de brocado desbotado. Os estofados eram novos e alegres, e as almofadas completamente alucinantes. Por toda parte, nas paredes, retratos de família. Alguns até bons. Havia uma vitrola e uns discos largados em volta. Um rádio portátil. Livro, praticamente nenhum. Só um jornal aberto no canto do sofá. Poirot apanhou o jornal e largou-o imediatamente, com uma careta. Era o semanário de Saint Loo. Algo o fez apanhar o jornal outra vez. Lia uma coluna quando Nick Buckley entrou.

— Traga gelo, Ellen — gritou ela por cima do ombro. Depois dirigiu-se a nós. — Bem, aqui estou. Livrei-me de todos os outros e estou morrendo de curiosidade. Serei a futura heroína de algum filme? O senhor parecia tão solene que achei logo que não poderia ser outra coisa. Faça-me uma proposta bem vantajosa!

— Quisera eu, Mademoiselle... — começou Poirot.

— Por favor, não me diga que é o inverso — implorou ela. — Não diga que o senhor pinta miniaturas e quer que eu compre uma. Mas não. Não pode ser. Com esse bigode e hospedando-se no Majestic, que serve a pior e mais cara comida da Inglaterra, simplesmente não pode ser!

A mulher que abrira a porta para nós entrou com uma bandeja cheia de garrafas e um balde de gelo. Nick preparou os coquetéis ainda falando sem parar. Creio que, ao cabo de certo tempo, o silêncio de Poirot a impressionou. Ela parou enquanto enchia os copos e disse, meio agressiva:

— Então? Que deseja?

— Desejo que tudo acabe bem, Mademoiselle. — Ele apanhou o copo que ela oferecia e continuou: — À sua saúde duradoura.

A moça não era tola e percebeu que havia algo no tom de voz de Poirot:

— Aconteceu alguma coisa?

— Aconteceu sim, Mademoiselle. Isto...

Ele estendeu a bala para ela na palma da mão aberta. Com a testa franzida, ela apanhou a bala.

— Sabe o que é? — indagou Poirot.

— É claro que sei! Uma bala usada.

— Exatamente, Mademoiselle. Não foi uma vespa que passou perto de seu rosto hoje de manhã. Foi esta bala.

— O senhor que dizer que há um idiota atirando nas pessoas no jardim de um hotel?

— É. Parece que sim.

— Deus do céu! — disse Nick. — Parece que estou mesmo sob algum tipo de encanto. É a tentativa número quatro.

— Eu sei — disse Poirot. — Essa foi a número quatro. Quero saber sobre as outras três.

Ela olhou para ele.

— Quero estar certo — continuou Poirot — de que foram meros acidentes.

— Mas claro que foram! Que mais poderiam ser?

— Mademoiselle, prepare-se, por favor, para um grande choque: alguém está tentando matá-la!

A resposta foi uma risada gostosa. A ideia parecia diverti-la enormemente.

— Que coisa formidável! Caro senhor, quem poderia querer matar-me? Não sou nenhuma herdeira cuja morte geraria milhões. Até que seria interessante se quisessem me matar! Seria magnífico, mas infelizmente não há a menor esperança de isso acontecer.

— A senhorita me contará como foram os acidentes? — insistiu Poirot.

— Claro! Mas não têm a menor importância! Foram tão idiotas! Por exemplo: há um quadro muito pesado na parede bem em cima de minha cama. Uma noite o quadro caiu, mas por acaso eu tinha ouvido uma porta bater em algum lugar da casa e fui verificar. E escapei. Se não fosse isso, o quadro teria esmagado a minha cabeça. Esse foi o primeiro acidente.

Poirot nem sorriu.

— Continue, Mademoiselle. Passemos ao segundo.

— Esse foi mais bobo ainda. Existe um caminho difícil entre os rochedos para descer até o mar. Sempre desço por ali. Há uma pedra de onde mergulho. Não sei como, um pedregulho se soltou, desceu feito uma avalanche e quase me atingiu. O terceiro acidente foi bem diverso. Houve algo de errado com os freios do carro, não sei bem o quê. O mecânico me explicou, mas não entendi nada. Em todo caso, se eu tivesse atravessado os portões, nada poderia segurar o carro na descida e eu teria ido de encontro ao edifício da prefeitura. Seria uma batida e tanto: danos leves na fachada da prefeitura e completa destruição do carro e da motorista, no caso eu mesma. O que me salvou dessa é que sou muito distraída e tinha voltado para buscar alguma coisa que tinha esquecido em casa. Só bati contra a cerca viva de loureiros.

— E a senhorita não conseguiu saber o que houve com os freios? — indagou Poirot.

— O senhor pode perguntar na oficina do Mott. Eles sabem. Era coisa simples. Parece que um parafuso estava frouxo. Na hora pensei que o filho de Ellen, aquela que abriu a porta para vocês, tivesse mexido no motor. Garotos adoram carros. Mas Ellen jurou de pés juntos que o menino nem tinha chegado perto do automóvel. Acho que o parafuso afrouxou sozinho, apesar de Mott ter dito que alguém o tinha soltado.

— Onde é a garagem, Mademoiselle?

— Do outro lado da casa.

— Está sempre trancada?

Os olhos de Nick arregalaram-se.

— Claro que não!

— Então qualquer pessoa poderia mexer em seu carro sem ser vista?

— Acho que sim. Mas isso tudo é tão ridículo!

— Não, Mademoiselle. Não é nada ridículo. A senhorita não compreende que está em perigo? E perigo grave? E sou eu quem lhe diz isso. Sabe quem sou eu?

— Não. Quem? — perguntou Nick assustada.

— Sou Hercule Poirot.

— Ah, sei — disse Nick, num tom sem grande expressão.

— Sei, sim.

— A senhorita conhece meu nome?
— Sem dúvida, sr. Poirot.
Ela se mexeu um pouco sem jeito. Uma expressão amedrontada apareceu-lhe nos olhos. Poirot a observava atentamente.
— A senhorita não está à vontade. Isso quer dizer que não leu meus livros.
— Bem, na verdade não. Todos não. Mas conheço o nome.
— A senhorita é uma mentirosa muito gentil.
Tive um sobressalto lembrando-me do que dissera aquela mulher com ar de Madona fatigada, no hotel Majestic, horas antes, depois do almoço.
— Esqueci-me de que é muito jovem — prosseguiu Poirot.
— Não, não deve ter ouvido falar de mim. A fama é passageira. Meu amigo Hastings pode falar-lhe sobre mim.
Nick virou-se para mim. Pigarreei um pouco encabulado.
— O senhor Poirot é... quero dizer, foi... um grande detetive — gaguejei.
— Mas, meu amigo! Isso é tudo que sabe dizer sobre o grande Poirot? Vamos! Diga à senhorita que sou um detetive sem rival, inigualável, o maior de todos os tempos.
— Agora é inteiramente desnecessário. Você mesmo acabou de lhe dizer — respondi-lhe.
— Sim, é verdade. Mas é bem mais agradável poder preservar sua modéstia. Ninguém deve tecer loas a si mesmo.
— Nunca se deve ter um cachorro e ser obrigado a latir por ele — concordou Nick caçoando. — Por falar nisso, quem é o cachorro? Dr. Watson, suponho?
— Meu nome é Hastings — disse-lhe eu friamente.
— Batalha de... 1066 — disse Nick. — Quem disse que não tenho cultura? Acho tudo isso maravilhoso. O senhor acha mesmo que alguém quer livrar-se de mim? Seria emocionante! Mas essas coisas não acontecem de verdade. Só nos livros. Acho que o sr. Poirot é como um cirurgião que inventou um tipo de intervenção, ou então um médico que descobriu uma doença desconhecida e agora deseja que todos estejam contaminados.

— Pelo amor de Deus! — gritou Poirot. — Não pode falar sério? Será que nada parece suficientemente sério à juventude de hoje? Creio que não seria uma piada muito engraçada se fosse agora um defunto, sem dúvida muito lindo, no gramado do hotel. E na sua bonita cabecinha um buraco bem-feito, em vez do chapéu. Não lhe parece hilariante, Mademoiselle?

— Risadas de outro mundo seriam ouvidas em alguma sessão — disse Nick. — Seriamente, Monsieur Poirot, é muito gentil de sua parte, mas tudo isso não passou de um acidente.

—Você é teimosa como o diabo!

— É daí que vem meu nome. O povo acredita que meu avô vendeu a alma ao demônio. Todos o chamavam de Velho Nick. Ele era um velho mau, mas muito engraçado. Eu o adorava. Andava por todo lado com ele, e então começaram a nos apelidar de Velho Nick e Jovem Nick. Meu nome verdadeiro é Magdala.

— É um nome pouco comum.

— É uma espécie de nome de família. Existem montes de Magdalas na família Buckley. Olhe uma ali — e ela apontou para um retrato na parede.

— Ah, sim — disse Poirot. Olhando então para um retrato sobre a lareira, perguntou: — É seu avô?

— É ele, sim. O retrato chama a atenção, não é? Jim Lazarus quis comprá-lo, mas eu não quis vender. Gosto muito do Velho Nick.

— Claro, claro — disse Poirot. — Mas voltemos a nosso assunto. Escute, senhorita, peço-lhe encarecidamente que leve isso a sério. A senhorita está em perigo. Hoje alguém a alvejou com uma pistola Mauser e...

— Uma pistola Mauser? — interrompeu ela. Parecia surpresa.

— Foi. Por quê? Conhece alguém que possua uma Mauser? Ela sorriu.

— Eu mesma tenho uma.

— A senhorita?

— Sim. Era de papai. Ele a trouxe de volta da guerra. Anda por aí pela casa desde então. Eu a vi noutro dia naquela gaveta.

Nick mostrou uma secretária antiga. De repente, como se lhe ocorresse uma ideia, foi até lá e abriu a gaveta. A voz tinha mudado de tom quando disse:

— Desapareceu!

3
Acidentes ou tentativas de homicídio?

Daquele momento em diante a conversa mudou de tom. Até então, Poirot e a moça vinham tendo opiniões divergentes. Afinal estavam separados por um abismo no tempo: ela nem sequer tinha ouvido falar nele ou na fama que o rodeava. Era da geração a quem só o presente importa. Portanto, todas as advertências dele em nada a tinham impressionado. Nick considerava Poirot um velhinho estrangeiro um tanto cômico e com tendências melodramáticas.

E essa atitude deixava meu amigo completamente perplexo. Para começar, sua enorme vaidade estava ferida. Ele sempre dizia que o mundo inteiro sabia da existência de Hercule Poirot.

E ali estava alguém que nem ouvira falar dele. "Bem feito", pensava eu comigo mesmo. Mas essa ignorância em nada ajudaria Nick Buckley.

Com o desaparecimento da pistola, porém, o caso passou para um novo plano. Nick deixou de se referir aos acidentes como piadas divertidas. Ela ainda considerava o assunto com uma certa leviandade porque esse era seu hábito e sua maneira de encarar a vida, mas havia uma mudança evidente em sua atitude.

Ela voltou para perto de nós e se sentou no braço da poltrona, com ar preocupado, a testa franzida.

— Estranho — disse.

Poirot virou-se para mim imediatamente.

— Lembra-se, Hastings, daquela ideia de que lhe falei? Estava certo! Suponha que o corpo da Mademoiselle tivesse sido encontrado no jardim do hotel. Levariam algumas horas para encontrá-lo, pois pouquíssimas pessoas passam por ali. Ao lado de sua mão, caída no chão, sua própria pistola. Não tenho a menor dúvida de que a boa Madame Ellen identificaria a arma. Haveria sugestões, é claro, quanto à causa da tragédia: preocupações demasiadas, insônia...

Nick se mexeu meio apreensiva.

— É verdade. Ando preocupadíssima. Todo mundo me diz que ando nervosa. Ficam todos dizendo que...

— O veredicto do suicídio seria fácil. As marcas digitais convenientemente à vista. Só as dela, de ninguém mais, é claro. Seria tudo muito simples e convincente.

— Como seria divertido! — disse Nick, mas não como se achasse mesmo o quadro terrivelmente divertido.

Poirot porém interpretou as palavras dela no sentido literal.

— Não é mesmo? Mas preciso que compreenda, Mademoiselle, que não haverá mais falhas. Quatro fracassos, sim, mas a quinta vez deverá ser bem-sucedida.

— Traga o coche mortuário! — murmurou Nick.

— Mas nós estamos aqui, meu amigo e eu, para impedir isso!

Senti-me agradecido por aquele "estamos". Poirot sempre teve o hábito incômodo de ignorar minha presença.

— É verdade, srta. Buckley — interpus. — Não fique alarmada. Nós a protegeremos.

— É muito gentil de sua parte — disse Nick. — Acho tudo isso perfeitamente maravilhoso. Muito, muito emocionante.

Ela ainda conservava o ar leviano e superior, mas os olhos traíam inquietação.

— A primeira coisa a fazer — disse Poirot — é um interrogatório.

Ele se sentou e sorriu para a moça com certo carinho.

— Para começar, Mademoiselle, uma pergunta convencional: tem inimigos?

Nick sacudiu a cabeça como se lamentasse a ausência de inimigos.

— Acho que não — disse, como que se desculpando.

— *Bon.* Isso está fora, então. A pergunta seguinte é a do detetive de cinema e de livros policiais: quem se beneficiaria com sua morte?

— Não faço a menor ideia — disse Nick. — E é por isso que acho tudo um absurdo. Naturalmente há este celeiro velho, mas a casa está hipotecada até o último tostão e, além disso, entra água pelo telhado. A não ser que haja uma mina de carvão, ou coisa parecida, escondida nos rochedos do terreno.

— Ah! Está hipotecada?

— Pois é. Tive de hipotecá-la. Para pagar as despesas da morte de meu avô há seis anos, e de meu irmão, mais recentemente. As mortes foram muito próximas uma da outra, e isso acabou com o equilíbrio financeiro que já não era lá essas coisas.

— E seu pai?

— Ele era inválido de guerra. Depois teve pneumonia e morreu em 1919. Minha mãe morreu quando eu ainda era bebê. Eu vivia aqui com meu avô. Ele e papai não se entendiam, então papai resolveu deixar-me com meu avô e vagabundear pelo mundo por conta própria. Gerald, meu irmão, também não se dava com meu avô. Acho que, se eu fosse menino, também não me entenderia com o velho. A minha sorte foi ser menina. Meu avô costumava dizer que eu era a única que tinha herdado seu temperamento. Ele era um solitário, creio. Tinha uma sorte tremenda. Diziam que tudo que ele tocava transformava-se em ouro. Mas era um jogador e perdeu tudo que tinha. Quando morreu não deixou quase nada além da casa e do terreno. Eu tinha 16 anos, e Gerald, 22. Gerald também morreu há três anos, num desastre de automóvel, e eu herdei a casa.

— Além da Mademoiselle, ainda existe alguém da família?

— Meu primo Charles. Charles Vyse. É advogado. Bom profissional, de valor, mas muito maçante. Ele é meu conselheiro e tenta impedir minhas extravagâncias.

— Toma conta de seus negócios?

— É, creio que se pode definir assim. Não tenho muitos negócios: ele providenciou a hipoteca e me fez alugar o chalé da entrada.

— Ah! sim! o chalé! Ia perguntar-lhe a respeito dele. Está alugado?

— Está, sim. Os inquilinos são uns australianos. Chamam-se Croft. Muito saudáveis, sabe? Amáveis demais. Vivem trazendo aipo, ervilhas e coisas assim. Ficam chocadíssimos com o estado de meu jardim. Eles me aborrecem; pelo menos ele. Ela é doente, coitada: fica deitada num sofá o dia inteiro. Mas eles pagam o aluguel pontualmente, e isso é uma grande coisa.

— Há quanto tempo estão aqui?

— Mais ou menos uns seis meses.

— Sei, sei. Agora diga-me: além desse primo seu... a propósito: ele é do lado materno ou paterno?

— Materno. Minha mãe era Amy Vyse.

— *Bien*! Mas, como ia dizendo, além desse primo seu, tem outros parentes?

— Uns primos afastados em Yorkshire. Buckleys também.

— Ninguém mais?

— Não que eu saiba.

— Isso a torna muito só.

Nick olhou para ele surpresa.

— Só? Que ideia engraçada! Não venho muito frequentemente para cá. Fico em Londres. Famílias são como pragas. Interferem demais na vida da gente. É muito melhor ficar sozinha em Londres.

— Não estamos muito de acordo, Mademoiselle. Suas opiniões são modernas demais para mim. Agora, a respeito da mordomia aqui.

— Mordomia! Como soa importante! Ellen é a mordomia... E há o marido dela, que é uma espécie de jardineiro. Diga-se de passagem que, como jardineiro, ele não é lá essas coisas. Pago muito pouco porque o menino deles mora aqui com eles. Ellen faz todo o serviço quando estou aqui. Quando quero dar uma festa, arranjamos quem venha ajudar. Vou dar uma na segunda-feira. É a semana da regata, sabia?

— Segunda-feira... e hoje é sábado — disse Poirot pensativo. — Agora, Mademoiselle, fale-me a respeito de seus amigos. Aqueles com quem almoçava hoje, por exemplo.

— Bem, deixe-me ver... Freddie Rice, a moça loura, é minha maior amiga. Teve uma vida miserável. Casou-se com um animal que andava sempre bêbado e consumia drogas. Ainda por cima era homossexual. Ela o deixou há um ano ou dois. Desde então ela anda viajando sem destino. Gostaria muito se ela se divorciasse e se casasse com Jim Lazarus.

— Lazarus? O negociante de arte em Bond Street?

— É, sim, Jim é filho único. Tem dinheiro à beça. Já viu o carro dele? E ele está apaixonado por Freddie. Andam juntos por toda a parte. Estão hospedados no Majestic durante o fim de semana e na segunda-feira vêm para cá ficar comigo.

— E o marido da sra. Rice?

— Aquele vigarista? Desapareceu do mapa. Ninguém sabe onde anda. E isso é muito embaraçoso para Freddie. Não se pode pedir divórcio a um homem cujo paradeiro se ignora.

— Evidentemente!

— Coitada da Freddie! — disse Nick pensativa. — Definitivamente não tem sorte! Houve uma ocasião em que tudo já estava combinado. Ela falou com ele, que concordou. Como não tinha dinheiro nenhum (nem para levá-la para um hotel), Freddie emprestou-lhe o necessário. Pois bem, assim que pôs as mãos no dinheiro, ele desapareceu. Até hoje ninguém sabe dele. Não é horrível?

— Meu Deus! — exclamei.

— O amigo Hastings ficou chocado — disse Poirot. — A senhorita precisa ter mais tato quando falar com ele. Tornou-se um pouco obsoleto depois que viveu algum tempo fora daqui, nos grandes espaços abertos do estrangeiro, de onde acaba de retornar. Hastings terá de aprender os modismos atuais.

— Eu não disse nada que pudesse chocar ninguém — disse Nick, os olhos arregalados. — Acho que todos sabem que existem pilantras assim. De qualquer maneira, foi um golpe muito sujo. A pobre Freddie quase não tinha dinheiro e depois ficou a ver navios, sem saber para onde se virar.

— É, tem razão. Não me parece um negócio muito limpo. Conte-me agora a respeito de seu outro amigo, o simpático comandante Challenger.

— George? Parece até que o conheço a vida inteira. Bem, pelo menos há cinco anos. George tem alma de escoteiro. É um bom sujeito.

— Ele quer casar-se com a senhorita, não é verdade?

— Bem, de vez em quando ele resolve falar nisso. Sabe como é: de madrugada, depois de uma boa noitada ou então depois que já bebeu umas e outras.

— Mas a senhorita mantém-se firme como uma rocha...

— Ora! Qual seria a vantagem de nos casarmos, eu e George? Nenhum de nós tem um tostão. E além disso, ele cansa qualquer um com aquela mania de "velhos e bons tempos". E afinal de contas, não é um rapaz. Deve andar pelos quarenta.

A observação me fez vacilar.

— Realmente, ele já está com o pé na sepultura — disse Poirot. — Não, não. Não pense que me ofendi, Mademoiselle. Nem entro em linha de conta, pois já sou avô... Agora conte-me mais a respeito dos acidentes. O do quadro, por exemplo.

— Está no lugar outra vez, com outro arame. Venha ver, se quiser.

Ela nos levou para outra parte da casa. Lá estava o quadro bem em cima da cabeceira da cama. Era um óleo, com uma moldura pesadíssima.

— Com licença — murmurou Poirot, tirando os sapatos e subindo na cama. Ele examinou o quadro e o arame de sustentação. Experimentou também o peso do quadro. Com uma careta, desceu em seguida. — Não deve ser nada agradável receber esse peso na cabeça, Mademoiselle. Diga-me: o que sustentava o quadro antes do acidente? Era um arame revestido de pano, como este?

— Era, sim, mas não tão grosso. Comprei um bem mais grosso desta vez.

— É bastante compreensível. A senhorita chegou a examinar as extremidades do outro para ver se estavam esfiapadas?

— Acho que sim, mas não notei nada de mais. Será que deveria?

— Exatamente como diz, senhorita. Por que deveria? Mas eu gostaria muito de ver o pedaço de arame. Ainda estaria aqui pela casa?

— Quando colocaram o arame novo, o antigo ainda estava no lugar. Acho que o homem que veio trocar jogou fora o antigo.

— É uma pena. Gostaria muito de vê-lo.

— O senhor não acredita mesmo que tenha sido um acidente? Não pode ter sido outra coisa.

— Pode ser que tenha sido um acidente. É impossível dizer com certeza. Mas e os freios de seu carro? Também foram um acidente? E a pedra que rolou encosta abaixo? Aliás, gostaria de ver o lugar exato em que esse "acidente" ocorreu.

Nick nos levou para fora, através do jardim, até a beirada do penhasco. O mar azul faiscava lá embaixo. Um caminho áspero descia pelos rochedos, e Nick mostrou exatamente onde o acidente tinha ocorrido. Poirot sacudiu a cabeça pensativamente e perguntou:

— Quantos caminhos há, que vão até seu jardim?

— Existe a entrada principal, passando pelo chalé, e a entrada de serviço, que é uma porta lateral. Há também um portão perto daqui, junto ao penhasco, por onde passa uma trilha que vai desde aquela praia ali embaixo até o hotel Majestic. Passando por um buraco na cerca viva, o senhor sai diretamente no jardim do hotel. Foi por lá que eu entrei de manhã. Aliás, é o caminho mais curto para ir à cidade.

— E seu jardineiro, onde é que trabalha?

— Bem, normalmente ou ele faz que trabalha na horta, ou então fica sentado no abrigo dos vasos fingindo que amola a tesoura do jardim.

— Do outro lado da casa?

— É, sim.

— De modo que, se alguém vier até aqui e soltar uma pedra, pode perfeitamente passar despercebido, não é?

Nick estremeceu.

— O senhor... O senhor acha mesmo que foi o que aconteceu? — perguntou ela. — Não consigo acreditar nisso. É tudo tão sem propósito.

Poirot tirou a bala do bolso e olhou para ela.

— Isto aqui não foi tão sem propósito, Mademoiselle.

— Deve ter sido um louco!

— Talvez. Seria um bom tópico para conversa depois do jantar: serão todos os criminosos loucos? Quem sabe se não há um defeito qualquer na massa cinzenta de todos eles? Pode ser até verdade. Mas isso é coisa para médicos e não para mim. Meu trabalho é diferente. Tenho de pensar nos inocentes e não nos culpados; na vítima e não no criminoso. É na Mademoiselle que penso, e não no agressor. A senhorita é jovem e bonita, o sol brilha no céu, o mundo é bom, e existe vida e amor. É em tudo isso que penso, Mademoiselle. Diga-me: esses amigos seus, sra. Rice e sr. Lazarus, há quanto tempo estão aqui?

— Freddie chegou na quarta-feira. Ela ficou em Tavistock por uns dias, com uns amigos que encontrou por lá. Chegou só ontem. Jim estava de turista por aí antes da chegada dela, creio eu.

— E o comandante Challenger?

— Ele fica em Devonport. Vem para cá de carro sempre que pode. Em geral nos fins de semana.

Poirot balançou a cabeça. Íamos de volta a casa, em silêncio, quando ele perguntou de repente:

— A senhorita tem alguma amiga em quem possa confiar?

— Tenho a Freddie — respondeu Nick.

— E além da sra. Rice?

— Não sei. Nunca pensei nisso. Devo ter, sim. Por quê?

— Porque quero que chame uma amiga para lhe fazer companhia aqui, imediatamente.

Nick assustou-se visivelmente. Ficou em silêncio durante alguns segundos, pensativa. Depois disse:
— Existe Maggie, é claro. Creio que poderia chamá-la.
— Quem é Maggie? — perguntou Poirot.
— Uma prima de Yorkshire. Pertence a uma família enorme. O pai é pastor, entende? Maggie é mais ou menos da minha idade e vem, vez por outra, ficar comigo no verão. Infelizmente não é muito divertida: pura demais, sofridamente pura... Daquelas cujo penteado fica na moda por mero acaso. Ela não fazia parte dos meus planos para este ano.
— Em absoluto. Preciso de sua prima aqui com a senhorita. Ela é exatamente o tipo de pessoa em quem eu estava pensando.
—Tudo bem — disse Nick com um suspiro.—Vou telegrafar para ela. Não consigo pensar em mais ninguém além de Maggie. Todos já têm programa. Se não tiver qualquer festa de caridade ou de igreja, virá com certeza.
— Quero que ela durma em seu quarto.
— Darei um jeito — respondeu Nick.
— Será que ela não vai achar estranho esse pedido? — perguntou Poirot.
— Que nada! Maggie nunca raciocina sobre coisa alguma. Ela apenas faz as coisas. Sabe como é: trabalho cristão, com fé e perseverança. Mas voltando ao nosso assunto, vou telegrafar para ela na segunda-feira.
— Por que não amanhã?
— Com os trens de domingo? Ela vai pensar que meu estado é gravíssimo se fizer isso — respondeu Nick. — Não, segunda-feira está bem. — E continuou, melodramática, em tom de caçoada: — O senhor vai contar a respeito dos horripilantes atentados e da ameaça que paira como uma nuvem negra sobre meu pobre destino?
—Veremos, veremos. A senhorita ainda acha muito engraçado, não é? Pelo menos vejo que é corajosa. É uma grande coisa.
— De qualquer maneira é uma mudança na rotina de todos os dias — disse Nick.

Alguma coisa no tom de voz dela me deu a impressão curiosa de que escondia algum pormenor. Já estávamos na sala de estar outra vez. Poirot folheava o jornal que estava no sofá.

— A senhorita lê isto? — perguntou subitamente.

— O semanário de Saint Loo? Não levo o jornal muito a sério, mas ele dá o movimento das marés toda semana.

— Sim, sim — disse ele reticente. — Mudando completamente de assunto, Mademoiselle: já fez algum testamento?

— Fiz, sim. Há seis meses mais ou menos, pouco antes de minha operação.

— Como? Operação? Uma intervenção cirúrgica?

— Sim. Apendicite. Alguém me disse que deveria fazer antes um testamento. Então eu fiz. Senti-me tão importante que nem imagina!

— E quais são os termos de seu testamento?

— Deixei a Casa do Penhasco para Charles. Não possuo muito mais do que isso, mas o resto todo deixei para Freddie. Como se diz, o passivo parece exceder e muito o ativo...

Poirot balançou a cabeça distraído.

— Vou-me embora agora. *Au revoir*, Mademoiselle. Tome muito cuidado.

— Com quê?

— A senhorita é inteligente. Realmente, este é o nosso ponto fraco: com quê? Quem sabe? Mas confie em mim. Dentro de poucos dias eu lhe darei a solução.

— Até então, cuidado com veneno, bombas, tiros, acidentes de carro e flechas embebidas em curare — setenciou Nick, num tom de caçoada outra vez.

— Não brinque, Mademoiselle! — disse Poirot muito sério.

Ele parou quando chegou à porta:

— Quanto disse que o Monsieur Lazarus ofereceu pelo retrato de seu avô?

— Cinquenta libras.

— Ah!, sim — disse Poirot.

Meu amigo examinou novamente o rosto moreno e sombrio em cima da lareira.

— Mas, como já lhe disse — continuou Nick —, não quero vender o velhinho.

— Não. Claro que não. Eu compreendo.

4
Uma pista no ar

— Poirot — disse eu, logo que saímos da casa —, há algo que acho que você deveria saber.

— E o que é, meu amigo?

Relatei-lhe a versão do problema com os freios, que me tinha sido contada pela sra. Rice.

— Interessante! Existe, de fato, um tipo de personalidade vaidosa e histérica que procura tornar-se o centro das atenções, imaginando-se alvo de tentativas de morte e que conta histórias mirabolantes que nunca aconteceram na realidade. São tipos comuns... não param nem diante de ferimentos que provocam em si mesmos para tornar as histórias mais críveis.

— Você não está pensando que...

— Que Mademoiselle Nick é desse tipo? Não, claro que não. Você observou, Hastings, que tivemos algum trabalho em convencê-la do perigo iminente. E ela manteve até o fim o ar de troça de quem não acredita realmente na ameaça que ronda por lá. Ela é típica dessa geração moderna. Mas, mesmo assim, é interessante o que disse a Madame Rice. Por que teria dito aquilo? Por que dizê-lo, mesmo que fosse verdade? Desnecessário, quase inconveniente.

— É verdade — disse eu. — Ela provocou o assunto de maneira óbvia e insistiu nele sem necessidade aparente.

— Isso é muito curioso... Muito curioso... Há pequenos detalhes significativos que surgem ao longo do caminho e que, às vezes, podem indicar a direção a seguir.

— Direção? Para onde?

— Você acabou de localizar o ponto fraco, meu caro Hastings: para onde? Infelizmente só saberemos quando chegarmos lá, onde quer que seja!

— Diga-me uma coisa, Poirot: por que insistiu tanto na vinda dessa prima?

Poirot parou, nervoso, dedo em riste diante de meu rosto:

— Pense! — gritou ele. — Pense por um minuto, Hastings! Temos tudo contra nós! Nossas mãos estão atadas! Caçar um criminoso *depois* de cometido o crime é fácil, pelo menos para mim. O criminoso deixa sempre alguma pista. Mas neste caso ainda não houve crime! E nós não queremos que haja! Encontrar um criminoso *antes* que o crime seja cometido é uma dificuldade quase insuperável. Qual é o nosso principal objetivo? A segurança da Buckley. E isso não é nada fácil, Hastings. Vejamos algumas das dificuldades. Não podemos ficar junto dela dia e noite. Não podemos enviar uma autoridade policial. Não podemos tampouco passar a noite no quarto de uma jovem senhorita. O caso está repleto de obstáculos.

"Só há poucas providências que podemos tomar e que tornarão o trabalho mais árduo para nosso assassino. Colocamos a jovem de sobreaviso e introduzimos uma testemunha imparcial, no caso a prima de Yorkshire. Será preciso um homem muito esperto para anular essas providências."

Ele parou, então, e disse num tom completamente diferente:

— Mas o que me amedronta, Hastings...

— Sim? O que é?

— O que me amedronta é que ele é na realidade um homem muito inteligente. Não. Não estou tranquilo. Nada tranquilo.

— Poirot — respondi —, você está me pondo nervoso.

— Eu também estou nervoso. Escute, meu amigo, aquele jornal de Saint Loo estava aberto, e dobrado sabe em que página?

Numa em que se lia num pequeno parágrafo: "Entre os hóspedes do hotel Majestic estão o Monsieur Hercule Poirot e o capitão Hastings." Suponha, só suponha, que alguém tenha lido aquele parágrafo. Todos conhecem meu nome. Todos!

— A srta. Buckley não conhecia — disse eu sorrindo.

— Ela é uma avoada, não entra em linha de conta. Um homem sério, um criminoso, conheceria meu nome. E teria medo! Começaria a se fazer perguntas. Ele tentou matar a Mademoiselle Buckley três vezes, e logo depois Hercule Poirot chega ao hotel. Ele se perguntaria: "Será coincidência? E se for? Que fazer então?"

— Esperar e esconder os rastros que tiver deixado.

— Sim, sim! Ou então, se ele fosse mesmo audacioso, atacaria fulminantemente, sem perda de tempo. A Mademoiselle Buckley já estaria morta, antes que eu tivesse tempo de investigar. Um homem audacioso agiria assim, Hastings.

— Mas por que pensa que alguém além de Nick Buckley teria lido aquele parágrafo?

— Não foi ela quem leu o parágrafo. Quando mencionei meu nome, nada significou para ela. Nunca o tinha ouvido. Sua expressão nem mudou. Além disso, a srta. Buckley nos disse que lia o jornal só para saber o movimento das marés. Naquela página nada havia sobre marés.

— Então você pensa que alguém da casa...

— Sim. Alguém da casa ou de fora. É fácil entrar na sala: a janela está sempre aberta. Não tenho dúvidas de que o movimento de entrada e saída é intenso.

— Você tem alguma ideia, alguma suspeita?

Poirot abriu os braços como quem nada sabe.

— Nada! Qualquer que seja o motivo, não é um motivo óbvio, como eu já previa. E essa é a proteção do nosso provável assassino, por isso agiu tão audaciosamente esta manhã. Na aparência, ninguém deseja a morte de Nick Buckley. A propriedade? A Casa do Penhasco? Isso tudo é herança do primo. Mas será que ele cobiça tão ardentemente uma casa hipotecada e caindo aos pedaços? Para ele, a casa nada significa sentimentalmente. Ele não é um Buckley, lembra-se? Precisamos falar com esse tal Charles Vyse, é claro, mas a simples suposição de que ele é suspeito é ridícula e fora de propósito. Ainda temos a Madame Rice — continuou Poirot. — Com seu ar de Madona perdida e olhar estranho e distante...

— Ah! Você também percebeu! — disse eu espantado.

— Que tem ela a ver com toda essa trama? Diz a você que a amiga é uma mentirosa. Muito gentil, sem dúvida. Por que contar a você em particular? Estará com medo de que Nick fale? Terá algo a ver com o acidente de carro? Usou o relato do acidente como exemplo, ou receia alguém ou alguma coisa? Alguém mexeu no motor do carro? Se mexeu, quem? A sra. Rice saberá disso? Aí entra em cena o bonito e louro Monsieur Lazarus — prosseguiu Poirot. — Onde entra ele em toda essa confusão, com seu carro maravilhoso e seu dinheiro? Estará envolvido, de alguma forma? O comandante Challenger...

— Este é correto — interrompi. — Estou seguro disso: um verdadeiro senhor colonial.

— Sem dúvida ele deve ter frequentado o que você chamaria de escola adequada. Felizmente, como estrangeiro, não tenho preconceitos desse tipo e que possam perturbar minhas investigações. Apesar disso, admito que é difícil ligar Challenger a qualquer dos incidentes. Não vejo possibilidade disso.

— Mas é evidente! — disse eu com ênfase.

Poirot me olhou pensativo:

— Sabe que você tem um efeito extraordinário sobre mim, Hastings? Você sempre fareja na direção errada, mas com tanta convicção que me sinto tentado a segui-lo. Você é daquele tipo íntegro, honesto, crédulo, honrado, que pode ser enganado por qualquer salafrário. Você seria capaz de investir em poços duvidosos de petróleo ou em minas de ouro inexistentes. São pessoas iguais a você que sustentam os vigaristas deste mundo. Voltando ao comandante Challenger, estudarei o tipo mais tarde. Você despertou minhas suspeitas.

— Meu caro Poirot — gritei indignado —, você é completamente absurdo! Um homem que viajou por todo o mundo como eu...

— Nunca aprende — disse Poirot tristemente. — É impressionante, mas é verdade.

— Então você acha que minha fazenda na Argentina seria o sucesso que é, se eu fosse crédulo como você diz?

— Não se irrite, meu amigo. Você e sua mulher fizeram da fazenda um grande sucesso.

— Bella sempre concorda comigo em tudo — disse eu.

— Ela é tão sensata quanto encantadora — disse Poirot. — Não vamos brigar, meu amigo. Olhe, ali adiante há um letreiro que diz: "Oficina do Mott." Não é o mecânico da Mademoiselle Buckley? Algumas perguntas e saberemos tudo a respeito dos freios do carro.

Entramos na oficina e Poirot se apresentou como um cliente recomendado por Nick Buckley. Disse querer alugar um carro para visitar as redondezas e daí, sutilmente, passou ao assunto dos freios do carro da srta. Buckley.

O proprietário da oficina tornou-se logo muito loquaz a respeito. Tinha sido a coisa mais extraordinária que vira até então. As tecnicidades nos escaparam — a mim, e creio que a Poirot também. Porém, de todo aquele jargão técnico, os fatos emergiram muito evidentes: alguém tinha mexido no carro, e o defeito tinha aparecido depois de uma interferência fácil e rápida nos freios do veículo.

— Veja só — disse Poirot quando saímos —, Nick Buckley estava certa e o rico Monsieur Lazarus estava enganado. Hastings, meu amigo, tudo isso é deveras interessante.

— E o que vamos fazer agora?

— Vamos ao correio enviar um telegrama, se não for tarde demais para isso.

— Um telegrama? — perguntei com estranheza.

— Sim — disse Poirot pensativo. — Um telegrama.

O correio ainda estava aberto. Poirot redigiu seu telegrama e enviou-o. Não me confiou uma palavra sobre o conteúdo.

Senti que ele desejava que eu lhe perguntasse e por isso mesmo refreei minha curiosidade.

— É uma pena que amanhã seja domingo — observou ele quando já caminhávamos para o hotel. — Não podemos falar com o Monsieur Vyse até segunda-feira de manhã.

—Você poderia alcançá-lo em casa, se quisesse.

— É claro, eu sei. Mas é exatamente o que *não quero* de maneira alguma. Primeiro desejo conhecê-lo como profissional e formar meu julgamento a partir deste ponto de vista.

— É — respondi pensativo —, talvez seja o melhor caminho.

— A resposta a uma pergunta muito simples, por exemplo, pode fazer grande diferença. Se Monsieur Charles Vyse estava em seu escritório às 12h30 de hoje, não pode ter sido ele o autor do tiro no jardim do hotel — disse Poirot.

— Não deveríamos examinar os álibis daqueles três que estavam no hotel hoje?

— Isso é muito mais difícil. Seria facílimo sair sorrateiramente por uma das inumeráveis janelas de qualquer uma das salas, em seguida correr até o ponto por onde a moça passaria: um tiro, uma retirada rápida e pronto! Mas, lembre-se, *mon ami*, que nós ainda não investigamos todos os personagens do drama que se desenrola. Há ainda a respeitável Ellen e seu invisível marido. Os dois moram na casa. Terão algo contra nossa jovem Mademoiselle? Não sabemos ainda. E os australianos desconhecidos que moram no chalé? Deve haver outros, amigos ou conhecidos, que a srta. Buckley nem mencionou por não crer que possam ser suspeitos. Hastings, não posso dizer-lhe com certeza, mas sinto que ainda existem fatos ou pessoas que não vieram à tona nesse caso. Nick Buckley sabe mais do que revelou.

—Você acha que ela esconde alguma coisa?

— Creio que sim.

— Com finalidade de proteger alguém?

Poirot sacudiu a cabeça energicamente:

— Não, não! Absolutamente! Ela me deu, até agora, a impressão de bastante franqueza. Estou convencido de que nos contou tudo que sabia a respeito dos atentados contra sua vida, mas existe algo mais... algo que ela acredita que não tenha nada a ver com o caso e por isso não mencionou. Gostaria de saber que "algo" é esse. Porque eu, modéstia à parte, sou bem mais inteligente do que uma moça como ela. Eu, Hercule Poirot, poderia ver um elo onde ela não vê nada. Poderia ser uma pista que lançasse luz sobre o caso. Preciso confessar-lhe humildemente e com toda franqueza, Hastings, que estou completamente à deriva. Até que eu veja uma razão por trás disso tudo, estou no escuro. Deve haver algum fator que não consigo compreender. O que será? Eu me pergunto isso sem cessar: o que será? Uma pista?

—Você descobrirá, Poirot — consolei-o.

— Desde que eu não descubra tarde demais — respondeu ele sombriamente.

5
Sr. e sra. Croft

Naquela noite houve uma festa no hotel. Nick Buckley jantou lá com seus amigos e nos acenou alegremente de longe.

Estava com um vestido longo, vermelho, tomara que caia, tocando o chão. Os ombros e o pescoço alvos emergiam do decote, encimados por uma atrevida cabecinha de cabelos negros.

— Um diabinho encantador — disse eu.

— E que contraste com a amiga, hein?

Frederica Rice estava de branco. Dançava com uma graça lânguida completamente diferente da animação de Nick.

— Ela é muito bonita — disse Poirot de repente.

— Quem? Nick?

— Não. A outra. Será boa ou má? Será apenas infeliz? Não se pode concluir nada. Ela é um mistério. Talvez nem isso! Entretanto, digo-lhe uma coisa: ela é muito provocante.

— Como assim? — perguntei curioso.

Ele apenas abanou a cabeça sorrindo.

— Você saberá cedo ou tarde. Lembre-se então do que lhe disse agora.

Subitamente, para surpresa minha, Poirot ergueu-se. Nick dançava com Challenger. Frederica e Lazarus tinham parado e estavam sentados à mesa. Nesse momento Lazarus levantou-se e saiu. A sra. Rice estava só. Poirot dirigiu-se até ela. Segui-o.

Seus métodos eram sempre diretos:

— Com licença? — Apoiou-se numa cadeira e deixou-se cair nela. — Estou ansioso para falar-lhe, enquanto sua amiga dança.

— Sim? — A voz era altiva e desinteressada.

— Não sei se sua amiga lhe disse, mas, se não o fez, eu o farei agora. Atentaram contra a vida dela hoje.

Os enormes olhos cinzentos arregalaram-se com horror e surpresa. As pupilas, negras e dilatadas, aumentaram mais ainda.

— Que quer dizer?

— Atiraram na Mademoiselle Buckley hoje no jardim do hotel.

De repente ela sorriu. Um sorriso de complacência e incredulidade.

— Foi Nick que lhe contou?

— Não, Madame. Eu mesmo vi com meus olhos. Aqui está a bala.

Ele mostrou-lhe a bala, e ela recuou um pouco.

— Mas então... então...

— Não é fantasia da Mademoiselle Buckley, como está vendo. Fui testemunha do atentado. E há mais. Vários incidentes curiosos ocorreram nos últimos dias. A senhora já deve ter ouvido falar deles. Pensando bem, talvez não, pois só chegou ontem, não foi?

— Sim. Ontem.

— Antes estava passando algum tempo com amigos em Tavistock, não é verdade?

— Sim.

— Gostaria de saber os nomes desses amigos, Mademoiselle.

Ela levantou as sobrancelhas.

— Há alguma razão por que eu deva revelar os nomes de meus amigos? — perguntou ela friamente.

Poirot mostrou-se inocentemente surpreso.

— Mil perdões, Madame! Fui muito grosseiro. Como tenho amigos em Tavistock, julguei que talvez a senhora os conhecesse. Chamam-se Buchanan.

A sra. Rice fez que não:

— Não me lembro deles. Acho que não os conheço. — E continuou em tom mais cordial: — Deixe seus amigos para lá. Fale mais a respeito de Nick. Quem atirou e por quê?

— Não sei ainda quem foi — disse Poirot. — Mas vou descobrir. Sou um detetive, sabe? Meu nome é Hercule Poirot.

— Um nome muito famoso.

— A Madame é muito amável.

— Que deseja que eu faça? — perguntou ela devagar.

Ela nos surpreendeu aos dois. Não esperávamos o oferecimento.

—Vou pedir-lhe que proteja sua amiga.

— Está bem.

— É só o que queremos.

Poirot levantou-se, cumprimentou, e voltamos a nossa mesa.

— Escute, Poirot, você não está revelando demais?

— *Mon ami,* que posso fazer? Falta sutileza, mas pelo menos aumenta um pouco a segurança. Não posso arriscar. De qualquer maneira, um fato é certo.

— O quê?

— A sra. Rice não esteve em Tavistock. Onde esteve então? Hercule Poirot vai descobrir.Você sabe que é impossível esconder-me uma informação. Olhe lá. O belo Lazarus voltou. Ela está contando a ele. Ele olha para cá. Parece-me inteligente: a forma da cabeça é a de um homem inteligente. Como gostaria de saber...

— Saber o quê? — perguntei.

— O que só vou saber na segunda-feira — respondeu ele ambíguo.

Olhei para ele mas nada disse. Poirot suspirou.

—Você não é mais tão curioso como era nos velhos tempos, meu amigo.

— Há prazeres que se devem evitar — disse eu friamente.

— Por exemplo?

— O prazer de recusar-se a responder perguntas.

— Mas isso é cruel.

— É. Também acho.

— Ora, veja — murmurou Poirot. — O bravo sujeito calado, adorado pelos romancistas da era eduardiana. — Seus olhos faiscaram com o brilho de antigamente.

Nick passou por nossa mesa pouco mais tarde. Separou-se do par e baixou sobre nós como um belo pássaro colorido.

— Dançando à beira da morte! — disse ela alegremente.

— A sensação é agradável, Mademoiselle?

— É, sim! Divertida!

Foi-se outra vez, com um aceno de mão.

— Preferiria que ela não tivesse dito aquilo — disse eu devagar. — "Dançando à beira da morte." Não gosto nem um pouco.

— Sei por quê. É muito próximo da verdade. Ela é corajosa. Muito corajosa. Mas não é de coragem que precisamos, e sim, de cautela.

O dia seguinte era domingo. Estávamos sentados na varanda da frente do hotel. Eram 11h30. Poirot levantou-se subitamente.

— Venha, meu amigo. Vamos fazer uma experiência. Tenho certeza de que o Monsieur Lazarus e a Madame Rice saíram de automóvel. Mademoiselle Buckley deve estar com eles. Temos o caminho livre.

— Livre para quê?

— Você vai ver.

Descemos os degraus, atravessamos o gramado até um portão que se abria para uma trilha ziguezagueante até o mar. Alguns banhistas, de volta da praia, passaram por nós rindo e brincando. Quando eles desapareceram de nossa vista, Poirot dirigiu-se a um portãozinho enferrujado, onde se lia em letras apagadas: "Casa do Penhasco. Propriedade particular." Não havia ninguém por perto. Entramos. Em pouco tempo chegamos ao gramado da frente da casa. Não se via vivalma. Poirot foi até a beira do penhasco e olhou. Então dirigiu-se à casa. As portas da varanda estavam abertas, e entramos diretamente na sala de estar. Poirot não perdeu tempo. Abriu a porta, atravessou o saguão e subiu a escada. Eu continuava atrás dele. Foi direto ao quarto de Nick, sentou-se na beirada da cama e piscou para mim.

— Viu, meu amigo, como é fácil? Ninguém nos viu entrar. Ninguém nos verá sair. Poderíamos fazer o que quiséssemos, em perfeita segurança. Poderíamos por exemplo enfraquecer e esfiapar um arame do quadro de tal maneira que ele se partiria em poucas horas, com o peso. Se alguém por acaso nos viu em frente à casa, temos a desculpa perfeita: somos amigos da família.

— Você que dizer que o assassino só pode ser alguém conhecido?

— É exatamente o que quero dizer. Nosso homem não é nenhum lunático estranho. Precisamos investigar perto da casa.

Ele encaminhou-se para a porta. Segui-o sem uma palavra. Estávamos, creio, preocupados demais para falar.

Na curva da escada, paramos abruptamente: um homem vinha subindo! Ele também parou. Seu rosto estava na sombra, mas sua atitude era de completa surpresa. Foi o primeiro a falar em voz alta, de quem está habituado a mandar.

— Que diabo estão fazendo aqui?

— Ah! — disse Poirot. — Suponho que seja o Monsieur Croft?

— É esse meu nome, sim. Mas...

—Vamos para a sala conversar? Seria melhor, eu acho.

O homem cedeu, virou-se e desceu. Seguimos nos seus calcanhares. Na sala de estar, com a porta fechada, Poirot se apresentou:

— Sou Hercule Poirot, às suas ordens.

A expressão do homem desanuviou-se um pouco.

— Já sei! — disse ele. — Você é aquele detetive. Li a seu respeito.

— No jornal de Saint Loo?

— Não, não. Há muito tempo, lá na Austrália. É francês, não é?

— Belga, mas isso não importa. Este é meu amigo, capitão Hastings.

— Muito prazer. Mas o que está havendo? Que faz aqui? Algo errado nas redondezas?

— Depende do que chama de errado.

O australiano era um belo homem, apesar da calvície e da idade avançada. Sua forma física era soberba. O rosto, um pouco gordo, parecia um tanto caído. Um rosto vulgar, classifiquei mentalmente. O que chamava atenção nele era o olhar penetrante, aqueles olhos azuis.

— Olhem aqui — disse ele —, vim só trazer uns tomates e um pepino para a srta. Buckley. Aquele homem que trabalha para ela não presta para nada. Um vagabundo! Não planta coisa nenhuma. Preguiçoso como ele só! A Mãe e eu ficamos indignados e achamos que o mínimo que podemos fazer é agir como bons vizinhos. Temos mais tomates do que podemos consumir, então vim, como sempre, pela janela e pus a cesta no chão. Já ia saindo quando ouvi passos e vozes de homens lá em cima. Achei estranho. Por aqui não existem ladrões, mas tudo é possível. Fui verificar e esbarrei com vocês dois. Agora o senhor me diz que é detetive. Que está acontecendo?

— É simples — disse Poirot sorrindo. — A Mademoiselle passou por uma experiência alarmante há algumas noites: um quadro pesado caiu da parede sobre sua cama. Ela lhe contou?

— Contou sim. Escapou por pouco.

— Para garantir que isso não aconteceria outra vez, prometi a ela trazer uma corrente especial bem mais segura. Ela me disse que sairia hoje de manhã, mas que eu poderia vir medir o comprimento necessário. *Voilà*. É simples.

Croft respirou fundo:

— E é tudo?

— O senhor está amedrontado à toa. Meu amigo e eu somos perfeitamente pacíficos.

— Esperem! — disse Croft. — Eu não vi vocês dois ontem à tarde? Vocês passaram por nossa casa.

— Sim, é verdade. O senhor estava trabalhando no jardim e nos deu um amável boa-tarde quando passamos.

— Tem razão. Então o senhor é o famoso Monsieur Hercule Poirot, de quem tanto ouvi falar. Diga-me, está muito ocupado agora? Porque, se não estiver, gostaria que voltasse comigo para uma xícara de chá matinal à moda australiana. Minha mulher adoraria conhecê-lo: leu sempre tudo a seu respeito nos jornais.

— O senhor é muito amável, Monsieur Croft. Realmente, não temos nada para fazer e ficaríamos encantados em ir com o senhor.

— Ótimo!

— Você tirou as medidas, Hastings? — perguntou Poirot, virando-se para mim.

Assegurei-lhe de que tinha as medidas comigo, e seguimos nosso novo amigo.

Croft era bastante loquaz. Logo fizemos essa constatação. Contou-nos a respeito de sua casa perto de Melbourne, de como tinha conhecido sua mulher, dos esforços que tinham feito juntos e do sucesso final que tinham alcançado.

— Resolvemos então viajar. Sempre tínhamos desejado conhecer a Inglaterra. Chegamos aqui e procuramos uns parentes de minha mulher, originários desta parte do país. Não encontramos ninguém. Então fomos para o continente: Paris, Roma, os lagos italianos, Florença. Foi na Itália que aconteceu o acidente de trem. Minha mulher ficou muito machucada. Levei-a aos melhores médicos, mas eles todos são unânimes: é uma questão de tempo e repouso. Problema de coluna.

— Que infelicidade! — exclamou Poirot.

— Falta de sorte, não é? E ela só tinha um desejo: voltar para cá. Ela pensava que, se tivéssemos uma casinha só para nós, tudo se arranjaria. Vimos muitos chalés e casinhas, até que encontramos esta em que estamos. Agradável, sossegada e isolada: não há movimento de carros, nem vitrolas e altos brados na vizinhança. Alugamos imediatamente.

Quando terminou, estávamos chegando. Ele soltou um grito modulado, com voz possante. Imediatamente uma outra voz respondeu.

— Entrem — disse o sr. Croft. Ele entrou, subiu uns degraus, e entramos num quarto agradável onde uma senhora gorda, de meia-idade, achava-se deitada num sofá. A sra. Croft tinha cabelos grisalhos e um sorriso muito doce.

— Adivinhe quem é esse, Mãe! — disse o sr. Croft. — Nada mais, nada menos que o mundialmente famoso Hercule Poirot, o detetive! Eu o trouxe para bater um papo com você.

— É emocionante demais para palavras! — respondeu a sra. Croft apertando calorosamente a mão de Poirot. — Li tudo a respeito do Trem Azul, onde o senhor viajava por coincidência. Segui também muitos dos seus outros casos. Desde que tenho este problema de coluna, leio todas as histórias de detetive que aparecem. Nada faz passar o tempo mais rápido. Bert, querido, peça a Edith para trazer um chá.

— Ótimo, Mãe!

— Edith é uma espécie de enfermeira — explicou a sra. Croft.

— Ela vem todas as manhãs para cuidar de mim. Não temos empregadas porque Bert pode fazer tudo. É até um ótimo cozinheiro. Isso o mantém ocupado o tempo todo. Além do jardim, é claro.

— Aqui está, Mãe, nosso chá — disse o sr. Croft, entrando com uma bandeja. — Este é sem dúvida um grande dia para nós.

— O senhor está hospedado por aqui, sr. Poirot? — perguntou a sra. Croft enquanto se curvava um pouco para servir o chá.

— Estou sim, Madame. Estou de férias.

— Mas li em algum lugar que o senhor tinha se aposentado, que tinha tirado férias definitivas.

— A senhora não deve acreditar em tudo que lê nos jornais, Madame.

— É bem verdade. O senhor continua a trabalhar, então?

— Só quando encontro um caso que me interesse o suficiente.

— Mas o senhor não está aqui para trabalhar, não é? — indagou o sr. Croft sem rodeios. — Dizer que está de férias poderia fazer parte do jogo.

— Não faça perguntas embaraçosas, Bert, ou ele não voltará — disse a sra. Croft. E virando-se para Poirot: — Somos gente simples, sr. Poirot. Sua vinda a nossa casa hoje é um acontecimento para nós. O senhor e seu amigo não imaginam o prazer que nos deram.

Ela parecia tão sincera e pôs tanto calor humano no agradecimento que me conquistou de vez.

— Foi um acidente feio, o do quadro — disse o sr. Croft.

— Aquela menina podia ter morrido — disse a sra. Croft com ênfase. — Nick é como um tratamento de choque para todos na redondeza. Tudo aqui adquire outra vida quando ela chega. Nem todos gostam dela por isso. Esses ingleses são muito cheios de formalidades, não lhes agrada ver animação e alegria numa moça. Não censuro a garota por não passar muito tempo aqui. E aquele empertigado daquele primo dela não tem a menor possibilidade de convencê-la a sossegar e vir para cá.

— Não fale demais, Milly — disse o marido.

— Afinal é nessa direção que sopra o vento! — exclamou Poirot. — Sempre se deve confiar na intuição feminina. Então Monsieur Charles Vyse está apaixonado por nossa jovem amiga?

— Ele é maluco por ela! — respondeu a sra. Croft. — Ela nunca se casará com um advogado do interior. Não é culpa dela. Ele é um pobre coitado. Pessoalmente prefiro que ela se case com aquele marinheiro tão gentil, o comandante Challenger: há casamentos piores. Ele é bem mais velho que Nick, mas e daí? Ela precisa é de um apoio na vida. Voar por toda parte, sozinha ou com aquela mulher de aparência esquisita, a sra. Rice, não é vida para uma moça como ela. Nick é uma boa menina, sr. Poirot. E ela não me parece muito feliz ultimamente: tem um olhar preocupado, e isso me aflige. Tenho razões pessoais para estar interessada no bem-estar dessa menina, não é, Bert?

O sr. Croft levantou-se abruptamente:

— Não precisa tocar nesse assunto, Milly — disse com firmeza. — Sr. Poirot, o senhor gostaria de ver umas fotografias da Austrália?

O resto da visita decorreu sem novidades. Dez minutos mais tarde, despedimo-nos e saímos.

— Boa gente — comentei. — Simples, e sem afetações. São mesmo tipicamente australianos.

— Você gostou deles, Hastings?

— E você, não gostou?

— Foram amáveis, muito gentis mesmo.

— Já sei que há alguma coisa. Diga de uma vez, Poirot.

— Bem, eles foram talvez um pouco "típicos" demais — respondeu Poirot pensativo. — Aquele grito modulado, a insistência para vermos os retratos... Não sei. Acho que exageraram um pouco na representação.

— Que diabo! Como você é desconfiado!

—Você tem razão, *mon ami*. Suspeito de tudo e de todos. Tenho medo, Hastings, tenho medo.

6
Uma visita ao sr. Vyse

Poirot mantinha-se fiel ao café da manhã europeu. Ver-me comendo ovos com bacon o incomodava profundamente, dizia sempre. De maneira que ele tomava seu café com leite e pão no quarto, deixando-me à vontade para iniciar meu dia como um verdadeiro inglês: ovos, bacon, geleia etc.

Procurei-o no quarto, na segunda-feira de manhã, quando ia descer para comer. Ele estava sentado na cama, metido num fantástico *robe de chambre*.

— *Bonjour*, Hastings. Ia chamá-lo agora mesmo. Será que você poderia levar este bilhete até a Casa do Penhasco e entregá-lo imediatamente à Mademoiselle Buckley?

Estendi a mão para apanhar o mencionado bilhete, mas Poirot quedou-se, olhando-me com um suspiro.

— Se ao menos você repartisse o cabelo ao meio, Hastings, e não para o lado, sua aparência lucraria imensamente. Haveria mais simetria. E seu bigode é uma desgraça! Se você insiste em usar bigode, que seja um bigode com personalidade. Um exemplo de beleza como é o meu.

Refreando um arrepio só de pensar na possibilidade, tomei-lhe o bilhete das mãos e saí.

Quando cheguei de volta a nossa saleta, recebemos um recado dizendo que a srta. Buckley estava lá embaixo. Poirot mandou pedir-lhe que subisse.

Ela entrou alegremente, mas as olheiras me pareceram maiores e mais escuras que antes. Trazia um telegrama, que entregou a Poirot:

— Acho que isso vai alegrá-lo — disse ela.

Poirot leu em voz alta:

— *Chego 5h30 hoje. Maggie.*

— Minha enfermeira e guardiã! — exclamou Nick. — Mas você está enganado, sabe? Ela não é inteligente: trabalhos de caridade são o que ela sabe fazer. Não tem o menor senso de humor. Freddie seria muito melhor para localizar assassinos ocultos. Melhor ainda seria o Jim Lazarus. Ninguém pode imaginar até onde vão suas habilidades.

— E o comandante Challenger?

— George! Imagine! Esse não vê um palmo diante do nariz. Mas quando vê, toma providências drásticas. É muito útil se houver alguma briga ou coisa parecida.

Nick tirou o chapéu e continuou:

— Dei ordens para que deixassem entrar o homem que o senhor mandou. Muito misterioso! Ele está instalando algum equipamento?

— Não, não — negou Poirot. — Nada científico. É uma questão de opinião, Mademoiselle: uma dúvida que eu queria desfazer.

— Então está bem — disse Nick. — É tudo muito divertido, não acham?

— Acha mesmo, Mademoiselle? — murmurou Poirot.

Ela ficou de pé junto à janela, de costas para nós. Quando virou, todo o desafio corajoso que havia antes nos olhos tinha desaparecido. Nick lutava para conter as lágrimas, as feições contraídas.

— Não — disse ela. — Não é nada divertido! Estou com medo! Um medo horrível. E eu, que sempre pensei que fosse corajosa...

— E é, senhorita. Muito corajosa mesmo. Nós dois já falamos de sua bravura com admiração.

— Nós a admiramos e muito! — disse eu entusiasticamente.

— Não, não sou nada corajosa — choramingou Nick. — A espera é que acaba comigo. Saber que algo vai acontecer e não saber o que, ou como vai acontecer.

— Sei, sei. É a tensão nervosa.

— Ontem à noite arrastei a cama para o meio do quarto, fechei a janela e tranquei a porta. Quando vim para cá agora, vim pela estrada principal: não tive coragem de vir pelo jardim, como sempre. É como se toda a minha força tivesse se acabado. Esses incidentes foram a gota d'água. Não aguento mais!

— Que quer dizer exatamente, Mademoiselle? Que houve, além dos incidentes que conhecemos?

Fez-se uma pausa antes que ela replicasse.

— Não, não é nada de especial. É o que os jornais chamam de "pressões da vida moderna": coquetéis demais, cigarros demais, esse tipo de coisa. É que... É que estou muito nervosa!

Ela afundou numa poltrona e ali ficou, torcendo as mãos.

— A senhorita não está sendo completamente franca comigo: sinto que existe algo mais.

— Não, não! Pode acreditar. É verdade — respondeu ela.

— Existe algo que não me contou.

— Eu lhe contei tudo. Tudo, tudo.

Ela parecia falar sinceramente e com honestidade.

— A respeito dos atentados — continuou Poirot —, a senhorita contou tudo, de fato.

— Então, sobre quê?

— Não me contou tudo que está dentro de si... Em sua vida...

Ela disse devagar:

— Será que alguém consegue fazer isso...?

— Ah! — exclamou Poirot triunfante. — A senhorita admite que existe algo!

Ela negou com a cabeça. Ele a observava atentamente.

— Será um segredo? — indagou ele sem rebuços.

Julguei ver um ligeiro bater de cílios. Mas quase imediatamente ela falou:

— Dou-lhe minha palavra, Monsieur Poirot. Já contei tudo que tinha para contar, até os mínimos detalhes, a respeito dessa confusão absurda. Se o senhor suspeita de que sei algo mais sobre alguém ou sobre alguma coisa, está redondamente enganado. É justamente a falta de suspeitas que me perturba. Não sou nenhuma idiota. Sei perfeitamente que, se esses "acidentes" não foram acidentes reais, devem ter sido arquitetados por alguém muito próximo, alguém que me conhece bem. E isso é horrível! Mesmo porque não tenho a menor ideia de quem possa ser.

Nick foi outra vez até a janela e ficou olhando para fora. Poirot fez-me sinal para que ficasse em silêncio. Creio que ele esperava alguma revelação, agora que o autocontrole da jovem se fora.

Quando ela voltou a falar foi num tom diferente, sonhador:

— Sabe que sempre tive um desejo muito estranho? Adoro a Casa do Penhasco e sempre quis produzir uma peça de teatro tendo a casa como cenário: respira-se em toda ela uma atmosfera de drama. Já imaginei uma porção de peças sendo encenadas ali. E agora é como se a peça estivesse sendo realmente encenada. E eu faço parte do elenco! Eu faço parte! Sou a personagem que deve morrer no primeiro ato.

A voz de Nick como que se rompeu de repente.

— Não, não, Mademoiselle! — A voz de Poirot era autoritária e animadora. — Assim não pode ser. Isso é histeria.

Ela se voltou agressiva e encarou-o:

— Freddie lhe disse que sou histérica? Ela diz que sou, mas o senhor não pode acreditar em tudo o que Freddie diz. Há momentos em que ela fica um pouco fora de si.

Houve uma pausa. Poirot fez então o que me pareceu uma pergunta totalmente irrelevante:

— Diga-me, Mademoiselle, já quiseram comprar a Casa do Penhasco?

— Comprar?

— Sim. Exatamente.

— Não, ninguém se ofereceu para comprar.

— E se recebesse uma boa oferta, a senhorita venderia?

Nick refletiu durante alguns minutos.

— Não. Creio que não. A não ser que a oferta fosse tão fantástica que me obrigasse a pensar.

— Precisamente onde quero chegar.

— Não quero vender, o senhor já sabe disso. Gosto demais da casa.

— É. Já percebi.

Nick se dirigiu devagar para a porta.

— Vai haver fogos hoje à noite. Vocês vêm? O jantar é às oito. Os fogos começam às 21h30. Pode-se ver muito bem do jardim que dá para a baía.

— Será um prazer — respondeu Poirot.

— O convite é para os dois, é claro.

— Obrigado — disse eu.

— Nada como uma festa para levantar o moral abatido — comentou Nick. Com uma risada ela saiu.

— Coitadinha! — disse Poirot.

Ele apanhou o chapéu e limpou uma poeira imaginária.

— Nós vamos sair? — perguntei surpreso.

— Vamos, *mon ami*. Temos assuntos legais para resolver.

— É claro, é claro. Compreendo.

— Alguém tão brilhante como você não poderia deixar de compreender, Hastings.

Os escritórios dos srs. Vyse, Trevannion e Wynnard estavam situados na rua principal. Subimos até o primeiro andar, onde três funcionários escreviam diligentemente numa sala. Poirot pediu para falar com o sr. Vyse. Um dos funcionários murmurou umas palavras num telefone interno. Parece que a resposta foi afirmativa, pois imediatamente o rapaz nos conduziu por um corredor até uma porta que ele abriu, depois de bater. Fomos introduzidos na sala do sr. Vyse.

O sr. Vyse, atrás de uma mesa coberta de papéis, levantou-se para nos cumprimentar. Era alto, pálido, fisionomia impassível. Uma calvície incipiente já aparecia nas têmporas. Usava óculos. A tez de coloração indefinida nada acrescentava à sua aparência.

Poirot tinha vindo preparado para o encontro. Trazia com ele um acordo legal que não assinara e sobre o qual queria a opinião do sr. Vyse.

O sr. Vyse, falando correta e cautelosamente, logo dissipou as dúvidas de Poirot e explicou-lhe os termos legais que ele não alcançara.

— Agradeço-lhe o auxílio — murmurou Poirot. — Para um estrangeiro como eu, esse jargão legal é muito difícil.

Foi nesse momento que o sr. Vyse perguntou quem o tinha indicado como advogado.

— A srta. Buckley — respondeu Poirot prontamente. — Sua prima, creio. Uma moça encantadora. Eu lhe disse que estava em dificuldades com esse documento, e ela me aconselhou que viesse vê-lo. Tentei vir no sábado, por volta das 12h30, mas infelizmente não o encontrei.

— É. Lembro-me de ter saído cedo no sábado.

— Sua prima deve achar aquele casarão muito solitário. Ela vive sozinha, não é?

— É verdade.

— Diga-me, sr. Vyse, há alguma possibilidade de a propriedade estar à venda?

— Absolutamente nenhuma.

— O senhor compreende, não lhe pergunto à toa. Tenho minhas razões. Procuro algo exatamente assim para comprar. O clima de Saint Loo me encantou. É verdade que a casa não está em boas condições. Parece que não há dinheiro para gastar com reparos. Pensei então que, nessas circunstâncias, a Mademoiselle Buckley poderia considerar uma proposta de compra.

— Nem pense nisso! — respondeu o sr. Vyse com ênfase. — Minha prima é louca pela casa. Nada a convenceria a vender. Para ela, é a casa ancestral.

— Compreendo isso, mas...

— Está inteiramente fora de cogitações. Conheço bem minha prima. Tem verdadeiro fanatismo pela casa.

Pouco depois estávamos na rua.

— Como é, *mon ami*? — disse Poirot. — Que impressão teve do Monsieur Charles Vyse?

Pensei um pouco antes de responder.

— Impressão negativa. Ele tem uma personalidade negativa.

—Você diria que não tem uma personalidade marcante?

— É. Realmente não tem. É o tipo de homem de quem a pessoa não se lembra quando encontra outra vez. Medíocre, eu diria.

— Sua aparência não deixa uma impressão forte ou agradável. Você notou alguma contradição na nossa conversa?

— Notei, sim — respondi eu lentamente. — Quando você falou na venda da Casa do Penhasco.

— Exatamente. Você descreveria a atitude da Mademoiselle Buckley em relação à casa como sendo "verdadeiro fanatismo"?

— A mim pareceu-me uma expressão um tanto forte.

— Pois é. E o sr. Vyse não é homem dado a usar expressões fortes. Sua tendência, como homem de leis, seria mais para a moderação. No entanto ele diz que a Mademoiselle Buckley tem um "verdadeiro fanatismo" pelo lar dos antepassados.

— Curioso é que não foi a impressão que me ficou de nossa conversa com ela hoje de manhã — disse eu. — Ela falou da casa com muito carinho. Obviamente ela gosta do lugar, como qualquer pessoa gostaria, na posição dela. Nada mais que isso.

— Então, um dos dois está mentindo — murmurou Poirot pensativo.

— Creio que não podemos suspeitar de Vyse, neste caso. Ele não mentiria.

— Se alguém tivesse de mentir, seria sempre bom dar essa impressão de que nunca mentiria... — disse Poirot irônico. — Acho que tem razão, Hastings. Esse homem parece ter a retidão de um George Washington. Você notou algo mais, *mon ami*?

— O quê, por exemplo?

— Que ele não estava no escritório no sábado às 12h30!

7
Tragédia

De noite, a primeira pessoa que vimos ao chegar à Casa do Penhasco foi Nick. Dançava sozinha no saguão, vestida num roupão maravilhoso, coberto de dragões.

— Oh! São vocês! — exclamou ela, transparecendo decepção na voz.

— Mademoiselle, mil perdões!

— Não se ofendam! Fui muito indelicada, eu sei. Mas imaginem que ainda estou esperando pelo vestido que vou usar hoje. Eles prometeram — os bandidos! —, juraram de pés juntos que iam trazê-lo a tempo!

— Ah! Então, se é um problema de roupa, realmente é um caso sério. Vai haver dança hoje, não é? — indagou Poirot.

— Vai, sim. Vamos dançar logo que terminarem os fogos. Isto é, creio que vamos.

A voz fraquejou um pouco, mas logo depois Nick estava rindo.

— Nunca desanimar é o meu mote! Não seja pessimista e tudo acabará bem. Estou alegre hoje e disposta a me divertir muito.

Ouvimos alguém que descia as escadas. Nick virou-se.

— Aí vem Maggie. Maggie, estes são os detetives que estão protegendo sua pobre prima contra o assassino oculto. Por que não vai com eles para a sala? Assim você vai saber de tudo que aconteceu até agora.

Cumprimentamos Maggie Buckley e nos dirigimos com ela para a sala de estar. Minha opinião sobre ela foi imediatamente favorável. Creio que me atraía a sensação de calma e bom senso que ela transmitia. Uma moça tranquila, bonitinha à maneira antiga e que não se pintava. Usava um vestido preto simples e que não parecia muito novo. Os olhos azuis eram francos, e a voz, pausada e agradável.

— Nick tem me contado as coisas mais espantosas — disse ela. — Vocês têm certeza de que ela não está exagerando? Quem poderia querer fazer mal a ela? Nick não tem inimigos.

A incredulidade transparecia em sua voz. Maggie fitava Poirot de maneira não muito simpática, como se estrangeiros em geral lhe despertassem suspeitas.

— No entanto, srta. Buckley, posso garantir-lhe que é tudo verdade — disse Poirot calmamente.

Ela não respondeu, mas via-se que não acreditara ainda.

— Nick parece possuída por algum espírito hoje — disse Maggie. — Não sei o que aconteceu. Ela parece meio desvairada.

A palavra "possuída" me deu arrepios. Além disso, alguma coisa no sotaque e na entonação de Maggie Buckley me deixou cismado.

— A senhorita é escocesa? — perguntei abruptamente.

— Minha mãe era — explicou.

Ela me encarava com melhores olhos do que a Poirot, e achei que um relato vindo de mim seria mais bem aceito.

— Sua prima tem demonstrado grande bravura — disse-lhe eu. — Está mesmo resolvida a agir como se nada estivesse acontecendo.

— É o único caminho, não é mesmo? — disse Maggie. — Quero dizer, não importa o que se está sentindo. Não se deve fazer um espetáculo dos próprios sentimentos. Seria um transtorno para os outros. Gosto muito de Nick. Ela sempre foi muito boa para mim.

Nós nem pudemos responder, pois naquele momento entrou Frederica Rice. Ela usava um vestido azul-céu e parecia muito frágil e etérea. Logo depois entrou Lazarus e, atrás dele, Nick, que estava de preto e envolta em um magnífico xale chinês vermelho-verniz.

— Alô, todo mundo! Drinques?

Todos nós bebemos, e Lazarus ergueu o copo para ela.

— Que maravilha de xale, Nick! É antigo, não é?

— É, sim! O bisavô de meu tio-avô, Timothy, trouxe de uma de suas viagens ao Oriente.

— É uma beleza! Uma verdadeira beleza! Você não encontraria outro nem parecido, se quisesse.

— Ele esquenta — disse Nick. — Vai ser útil na hora dos fogos. E é alegre. Detesto preto!

— É verdade — disse Frederica. — Nunca vi você de preto antes, Nick. Por que comprou um vestido preto hoje?

— Não sei! — A jovem deu um volteio petulante mas notei que em seu sorriso havia um quê de dor. — Por que as pessoas fazem as coisas? Precisa haver uma razão?

Fomos jantar. Um garçom tinha aparecido misteriosamente. Contratado para a ocasião, creio. A comida era insossa, mas em compensação o champanhe estava excelente.

— George não apareceu — disse Nick. — Um transtorno, esse negócio de ter sido obrigado a ir a Plymouth ontem de noite. Espero que ele apareça ainda hoje, a tempo de dançar. Arranjei um companheiro para Maggie: nada de extraordinário, mas apresentável.

Um ruído de motor veio de fora.

— Maldita lancha! — exclamou Lazarus. — Esse barulho cansa!

— Não é lancha — disse Nick. — É um hidroavião.

— Acho que você tem razão.

— É claro que tenho razão! O barulho é completamente diferente.

— Quando é que você vai arranjar uma mariposa assim, Nick?

— Quando conseguir quem me empreste o dinheiro!

— Aí você decola para a Austrália como aquela garota... Como é mesmo o nome dela?

— Você nem sabe como eu gostaria de fazer isso...

— Admiro enormemente aquela moça — disse a sra. Rice com sua voz cansada — Que fibra! E foi completamente só!

— Eu admiro todas as pessoas voadoras — disse Lazarus. Se o Michael Seton tivesse sido bem-sucedido em sua volta ao mundo, ele hoje seria um herói e com toda razão. É uma pena que tenha morrido. É o tipo de homem que a Inglaterra não poderia perder atualmente.

— É capaz de ainda estar vivo — disse Nick.

— Acho difícil. Uma probabilidade em mil. Pobre Seton Maluco!

— Sempre o chamaram de Seton Maluco, não é? — perguntou Frederica.

Lazarus confirmou.

— Ele descende de uma família meio louca. O tio, Sir Matthew Seton, que morreu há uma semana mais ou menos, era louco varrido.

— Era o milionário maluco que organizava reservas naturais de pássaros? — indagou Frederica.

— Ele mesmo. Comprava ilhas e fazia nelas refúgios para pássaros. Detestava mulheres. Acho que uma garota o enganou uma vez, e ele passou a se interessar por história natural como uma fuga e um consolo.

— Por que diz que Michael Seton morreu? — insistiu Nick. — Não vejo razão para desistir ainda.

— Você o conhecia, não é? — disse Lazarus. — Tinha me esquecido.

— Freddie e eu o encontramos em Le Touquet, no ano passado. Ele era maravilhoso, não era, Freddie?

— Não pergunte a mim, querida! Ele foi conquista sua. Você chegou até a voar com ele!

— É mesmo! Em Scarborough. Foi simplesmente fantástico!

— Já voou alguma vez, capitão Hastings? — perguntou Maggie, para incluir-me na conversa.

Tive de confessar que minha única experiência aérea tinha sido uma viagem a Paris, de ida e volta.

De repente, com uma exclamação, Nick saltou da cadeira.

— O telefone! Não me esperem! Está ficando tarde, e eu convidei uma porção de gente!

Ela saiu correndo. No meu relógio eram nove horas. Comemos a sobremesa. Vieram os licores. Poirot e Lazarus falavam sobre arte. Quadros não estavam tendo grande saída no mercado, dizia Lazarus. Os dois continuaram a trocar ideias sobre mobília e decoração.

Procurei cumprir meu dever conversando com Maggie Buckley, mas confesso que a tarefa não era fácil. Ela respondia às perguntas mas o assunto morria. Era como subir uma ladeira íngreme, a pé.

Frederica Rice, silenciosa e sonhadora, os cotovelos sobre a mesa, fumava. A fumaça à volta de sua cabeça loura fazia-a parecer um anjo meditativo.

Às 21h20 Nick apareceu de volta.

— Venham! Venham todos! Os bichos estão chegando aos pares!

Levantamo-nos e fomos. Nick recebia os convidados. Ela convidara um punhado de casais e a maioria era inteiramente sem interesse. A srta. Buckley posava muito bem de anfitriã. Deixara de lado os modernismos e recebia tradicionalmente, dando as boas-vindas a cada um. Entre os que chegavam, percebi a figura de Charles Vyse.

Daí a momentos dirigimo-nos todos ao jardim, para um lugar de onde se podia ver o mar e a baía. Algumas cadeiras tinham sido trazidas para as pessoas mais velhas, porém quase todos ficaram de pé. O primeiro morteiro subiu.

Nesse momento ouvi uma voz familiar que falava alto. Voltei-me para ver Nick cumprimentando o sr. Croft:

— É uma pena que a sra. Croft não possa estar aqui também. Ela poderia vir de maca ou coisa parecida.

— É pouca sorte mesmo. Pobre da Mãe! Mas ela nunca se queixa. Tem o melhor temperamento do mundo. Aquela é realmente uma ótima criatura — respondeu o sr. Croft. Nisso, uma chuva de ouro apareceu no céu.

A noite estava escura e sem lua. A lua nova deveria aparecer dentro de três dias. Estava frio também, como era frequente nas noites de verão. Maggie Buckley, junto a mim, estremeceu de frio.

— Vou correndo apanhar um agasalho — murmurou ela.

— Deixe-me ir para a senhorita — ofereci.
— Não, não. O senhor não saberia onde encontrá-lo.
Ela se dirigiu até a casa. Nesse momento, a voz de Frederica Rice ressoou.
— Apanhe o meu também, Maggie! Está no meu quarto.
— Ela não escutou — disse Nick. — Vou apanhar para você. Eu também quero o meu de pele, porque este xale não esquenta muito. Acho que é o vento.

Havia mesmo uma brisa forte que vinha do lado do mar.

Outros fogos de artifício começaram a ser preparados ao longo do cais. Entabulei uma conversa sem consequências com uma senhora de meia-idade que estava ao meu lado e que me fez um verdadeiro interrogatório quanto a minha vida, carreira, meus gostos e meu tempo de permanência em Saint Loo.

Bang! Um chuveiro de estrelas verdes encheu o céu. Tornaram-se depois azuis, vermelhas e, por fim, prateadas. Subiu outro foguete. E mais outro.

— Você começa exclamando oh!, ah! Depois fica monótono, você não acha? — observou inesperadamente a voz de Poirot junto a mim. — Brrr! A grama está úmida debaixo dos pés. Vou apanhar um resfriado por causa disso, tenho certeza. E não há possibilidade de se arranjar um bom chá medicinal nesta terra!

— Um resfriado? Numa noite linda como esta?

— Noite linda! Noite linda! Como bom inglês, você diz isso porque não está chovendo torrencialmente. Quando não chove, é sempre uma noite linda. Mas digo-lhe uma coisa, meu amigo, se eu tivesse um termômetro, eu lhe mostraria sua noite linda e agradável!

— Bem, confesso que um agasalho não seria nada mau.

— Pelo menos você é sensato, mas acho que é porque veio há pouco tempo de um país de clima quente.

— Vou buscar seu casaco — disse eu.

Poirot levantou um pé, depois o outro, como um gato:

— É a umidade nos pés que me incomoda. Você acha que seria possível conseguir umas galochas?

Fiz esforço para não sorrir.

— Poirot, não sei se você sabe que não se fazem mais galochas.

— Então vou-me embora, sentar-me dentro de casa — declarou ele. — Não vou arriscar um resfriado ou uma pneumonia, só por causa de alguns fogos de artifício.

Com murmúrios indignados e ininteligíveis, marchou com decisão para a casa. Aplausos ainda chegaram aos nossos ouvidos, vindos do cais lá embaixo, onde a figura de um navio delineado com fogos de artifício trazia as palavras: Sejam bem-vindos!

— No fundo, todos somos crianças — disse Poirot pensativo. — Fogos, festas, jogos, até o mágico que engana os olhos mais atentos... Mas que é isso, Hastings? Que tem você?

Eu o tinha agarrado pelo braço, com força, e com a outra mão apontava sem conseguir falar. Estávamos a uns cem metros da casa e, bem em frente a nós, diante da porta aberta, *via-se um vulto no chão, envolto num xale vermelho*!

— *Mon Dieu!* — exclamou Poirot. — *Mon Dieu...*

8
O xale fatal

O horror nos imobilizou por uns quarenta segundos, que mais nos pareceram uma hora. Logo Poirot se adiantou, libertando-se de minha mão ainda crispada em seu braço. Ele se movia como um autômato.

— Aconteceu! — murmurou ele num tom indescritivelmente angustiado e amargo. — Apesar de todas as precauções tomadas, aconteceu. Criminoso sou eu que não a protegi melhor! Deveria ter previsto: não deveria deixá-la só, um minuto sequer.

— Você não se pode culpar — disse eu. Minha língua pegava no céu da boca seca, e eu quase não podia falar.

Poirot só me respondeu com um triste aceno de cabeça. Ajoelhou-se junto ao corpo.

E foi nesse momento que ele recebeu o segundo choque: a voz de Nick soou, clara e alegre. Um momento depois a figura dela apareceu na porta delineada contra a luz acesa do interior.

— Desculpe se demorei, Maggie, mas...

Ela parou de chofre diante da cena.

Com uma exclamação ansiosa Poirot virou o corpo no chão, e eu me debrucei para olhar.

Meu olhos viram a morte estampada no rosto de Maggie Buckley.

Num instante Nick estava a nosso lado. Deu um grito penetrante:

— Maggie! Oh! Maggie! Não pode ser!

Poirot ainda examinava o corpo da jovem. Por fim ele se ergueu lentamente.

— Ela está... — A voz de Nick partiu-se.

— Sim, Mademoiselle. Ela está morta.

— Mas por quê? Por quê? Quem poderia querer matá-la?

A resposta de Poirot veio clara e firme:

— Não era ela que queriam matar! Era a senhorita! Enganaram-se por causa do xale.

Um grito saiu dos lábios de Nick.

— Por que não fui eu? — choramingou ela. — Por que não fui eu? Não quero viver, agora. Gostaria de morrer!

Ela agitou os braços num frenesi e cambaleou ligeiramente. Passei o braço por seus ombros para sustentá-la de pé.

— Leve-a para dentro, Hastings — disse Poirot. — Depois chame a polícia.

— A polícia?

— Claro! Diga-lhes que alguém foi assassinado. Depois permaneça ao lado da Mademoisellle Nick. Não a deixe sozinha sob nenhum pretexto!

Um sinal de cabeça indicou-lhe que eu tinha compreendido as instruções. Com o braço em volta dos ombros da jovem quase desmaiada, sustentando-a, entrei na sala de estar. Deitei-a no sofá, coloquei-lhe uma almofada debaixo da cabeça e saí apressado para o saguão à procura do telefone. Levei um susto quando quase dei um encontrão em Ellen. Ela estava parada, respeitável e humilde, com uma expressão estranha no rosto. Seus olhos brilhavam, e ela umedecia repetidamente, com a língua, os lábios secos. As mãos tremiam como se ela estivesse nervosa. Assim que me viu, falou:

— Aconteceu... alguma coisa, senhor?

— Sim — respondi lacônico. — Onde é o telefone?

— Nada de grave, não é, senhor?

— Houve um acidente — disse eu evasivamente. — Alguém se machucou. Preciso telefonar.

— Quem se machucou, senhor? — Havia uma curiosidade intensa na voz e no rosto.

— A srta. Buckley. A srta. Maggie Buckley.
— A srta. Maggie? Tem certeza, senhor? Quero dizer, tem certeza de que é a srta. Maggie?
— Absoluta certeza! Por quê?
— Nada. Nada. Pensei que tivesse sido alguma das outras senhoras. Talvez a sra. Rice.
— Escute aqui: onde é o telefone? — disse eu bruscamente.
— Na saleta, senhor. Aqui. — Ela abriu a porta e mostrou o telefone.
— Obrigado. — E como ela parecia disposta a ficar por ali, acrescentei: — É só o que desejo. Obrigado.
— Se o senhor quiser falar com o dr. Graham...
— Não, não — disse eu. — Pode ir, por favor.
Ela saiu com relutância, tão lentamente quanto possível. Com toda a certeza, ia escutar do lado de fora da porta, mas isso eu não podia evitar. Afinal de contas ela saberia de tudo dentro de pouco tempo.

Telefonei para a polícia e relatei o ocorrido. Depois, por iniciativa própria, chamei o dr. Graham de quem Ellen tinha falado. Achei o número no catálogo. Embora um médico nada mais pudesse fazer por aquela pobre moça lá fora, pelo menos Nick precisava de cuidados médicos. Ele prometeu que viria imediatamente. Desliguei e apressei-me a sair da saleta para o saguão. Se Ellen estava antes escutando atrás da porta, ela tinha conseguido desaparecer com incrível rapidez. Não havia ninguém à vista quando saí. Voltei para a sala de estar. Nick tentava sentar-se.

— Será que o senhor poderia arranjar um pouco de conhaque?
— Claro!

Fui rapidamente à sala de jantar, achei o que queria e voltei. Uns goles de conhaque reavivaram a jovem: a cor voltou às faces. Ajeitei a almofada sob a cabeça dela.

— É horrível tudo. Por toda a parte. — Ela estremeceu.
— Eu sei, meu bem, eu sei.
— Não! O senhor não pode saber! É um desperdício tão grande! Antes tivesse sido eu... Estaria tudo acabado.

— Não seja mórbida — disse-lhe eu.

Ela sacudiu a cabeça, repetindo:

— O senhor não sabe! O senhor não sabe!

Então, de repente, começou a chorar. Soluçava mansamente como uma criança desamparada. Chorar era o melhor para ela. Não procurei consolá-la.

Quando o choro diminuiu um pouco, fui até a janela e olhei para fora. Eu tinha ouvido pouco antes um vozerio. Com efeito, estavam todos lá agora, em semicírculo em volta do corpo. Poirot, como uma sentinela, mantinha-os à distância.

Enquanto eu olhava, duas figuras atravessaram o gramado em largas passadas. A polícia tinha chegado.

Voltei para perto do sofá. Nick levantou o rosto manchado de lágrimas:

— Eu devia estar fazendo alguma coisa, não é?

— Não, meu bem. Poirot está providenciando tudo. Deixe tudo com ele.

Nick ficou calada por alguns minutos. Depois disse:

— Coitada da Maggie! Pobre querida! Tão boa alma! Nunca fez mal a ninguém em toda sua vida. E aconteceu isso logo com ela! Sinto-me como se a tivesse matado eu mesma, trazendo-a para cá.

Sacudiu a cabeça melancolicamente. Ninguém pode prever o futuro: quando Poirot insistiu para que Nick convidasse uma amiga, nunca poderia imaginar que estivesse assinando a sentença de morte de uma desconhecida.

Ficamos em silêncio. Ansiava por saber o que acontecia lá fora, mas cumpri lealmente as instruções de Poirot e permaneci no posto, junto a Nick.

Quando Poirot e um inspetor de polícia entraram na sala, parecia que se tinham passado horas e horas. Com eles veio um homem que só podia ser o dr. Graham. Ele se dirigiu imediatamente até Nick.

— Como se sente, srta. Buckley? Deve ter sido um grande choque emocional. — Com os dedos o médico sentiu-lhe a pulsação. — Não está má.

Virou-se para mim:

— Ela tomou alguma coisa?

— Só um pouco de conhaque.

— Estou bem — disse Nick com bravura.

— Pode responder a algumas perguntas?

— Naturalmente.

O inspetor de polícia adiantou-se com um pigarro preliminar. Nick o saudou com a sombra de um sorriso.

— Não estou impedindo o tráfego dessa vez.

Imaginei logo que se conhecessem.

— Isso tudo é terrível, srta. Buckley — disse o inspetor. — Sinto muito. O sr. Poirot aqui presente e cujo nome conheço bem me disse que atiraram na senhorita no jardim do hotel Majestic há alguns dias. É verdade?

Nick confirmou.

— Pensei que fosse só uma vespa, mas não era.

— E aconteceram alguns acidentes estranhos antes disso?

— É verdade. Pelo menos foram estranhamente próximos entre si.

Ela contou rapidamente o que já ocorrera.

— Muito bem. Agora diga-me: por que sua prima estava usando seu xale hoje?

— Viemos apanhar o casaco dela. Estava frio lá fora. Joguei o xale neste sofá e subi. Vesti o casaco de pele que estou usando e apanhei um agasalho para a sra. Rice no quarto dela. Está ali no chão, perto da porta. Nesse momento Maggie gritou, dizendo que não conseguia encontrar seu casaco. Respondi que o casaco devia estar aqui embaixo. Ela desceu e disse que ainda não tinha encontrado. Então eu lhe disse que o casaco devia ter ficado no carro. Era um mantô de *tweed* que ela procurava, pois não tinha nada de pele. Ia trazer-lhe um dos meus, mas ela quis usar meu xale, caso eu não o quisesse. Achei que não seria suficiente, mas Maggie garantiu que sim, pois em Yorkshire faz mais frio. Concordei e pedi que me esperasse, pois ia descer logo. Quando desci... — Ela parou, sua voz como que abafada.

— Não se aflija, srta. Buckley. Só me diga isto: ouviu tiros?

Nick sacudiu a cabeça.

— Não. Só os morteiros estourando e os outros fogos.

— É isso mesmo — disse o inspetor. — Nunca poderia ouvir um tiro com todo o barulho em volta. Creio que não adianta perguntar se desconfia de quem possa ter causado esses acidentes.

— Não faço a menor ideia — respondeu Nick.

— Acho que não poderia mesmo saber. Deve ser algum maníaco homicida. Só pode ser. Negócio feio. Bem, senhorita, não preciso perguntar-lhe mais nada por hoje. Sinto muito mais do que a senhorita imagina.

Dr. Graham adiantou-se.

— Vou sugerir, srta. Buckley, que não permaneça aqui. Já conversei com o Monsieur Poirot a respeito. Conheço uma excelente clínica de repouso. A senhorita sofreu um choque e necessita de descanso completo.

Nick não olhava para ele. Seus olhos procuravam Poirot.

— É por causa do choque?

Poirot se dirigiu para ela:

— Quero mantê-la a salvo, menina. Quero estar certo de que está a salvo. Haverá uma enfermeira eficaz e sem imaginação que ficará sempre a seu lado. Quando a senhorita despertar e gritar, ela estará lá. Compreende?

— Sim — disse Nick. — Compreendo. É o senhor que não compreende. Não tenho mais medo. Não me importo com o que possa acontecer. Se alguém quiser me matar, pode fazê-lo agora.

— Não diga isso — interpus. — A senhorita está sob muita tensão.

— Nenhum de vocês sabe de nada!

— Creio que o plano do Monsieur Poirot é muito bom — interrompeu o médico tentando conciliar. — Eu mesmo a levo no meu carro, e a senhorita pode tomar alguma coisa que lhe assegure uma boa noite de sono. Concorda?

— Não me importo. Façam o que quiserem.

Poirot colocou a mão sobre a dela.

— Eu sei, Mademoiselle, como deve se sentir. Estou envergonhado por ter falhado. Prometi proteção e não fui capaz de proteger. Acredite, meu coração dói por causa desse fracasso. Se soubesse o que sofro também, poderia perdoar-me, tenho certeza.

— Isso não tem importância — disse Nick, ainda com a voz inteiramente sem expressão. — Não se culpe. Estou certa de que fez o melhor que pôde. Ninguém poderia evitar o que houve. Não fique infeliz, por favor.

— A senhorita é muito generosa.

— Não. Eu apenas...

Houve uma interrupção. A porta se abriu de repente, e George Challenger entrou apressado.

— Que confusão é essa? Cheguei agora e encontrei o carro da polícia no portão e boatos sobre a morte de alguém. Que aconteceu? Pelo amor de Deus, digam! É... É Nick?

A angústia em sua voz era impressionante. De repente, percebi que Poirot e o médico bloqueavam completamente a visão que Challenger poderia ter de Nick, no sofá.

Antes que qualquer pessoa pudesse responder, ele repetiu:

— Não pode ser verdade! Nick não está morta!

— Não, *mon ami* — disse Poirot com calma. — Ela está viva.

Ele se afastou para que Challenger pudesse ver a jovem no sofá.

Por instantes Challenger fitou-a incrédulo. Depois cambaleando como um bêbado ele murmurou: Nick... Nick... De repente caindo de joelhos junto ao sofá e escondendo o rosto nas mãos, continuou:

— Nick, minha querida! Pensei que você estivesse morta!

Nick tentou sentar-se.

— Está tudo bem, George. Não seja idiota! Estou sã e salva.

Ele ergueu a cabeça e olhou em volta assustado.

— Mas quem morreu? O policial me disse que alguém tinha morrido.

— Sim — disse Nick. — Foi Maggie. A pobre Maggie!

Um espasmo contorceu-lhe as feições. O médico e Poirot aproximaram-se, e dr. Graham ajudou-a a levantar-se. Amparando-a, um de cada lado, levaram Nick para fora da sala.

— Quanto mais cedo for deitar-se melhor. Vou levá-la em meu carro. Pedi à sra. Rice que arrumasse numa maleta o essencial para a senhorita — disse o médico.

Eles desapareceram pela porta aberta. Challenger agarrou-se a meu braço:

— Não compreendo! Para onde a estão levando?

Eu lhe expliquei.

— Entendo. Mas agora, Hastings, pelo amor de Deus, dê-me os pormenores dessa história! Que tragédia! Pobre menina!

— Venha tomar um drinque — sugeri. — Você está em pedaços.

— É uma boa ideia.

Fomos para a sala de jantar.

— Julguei que fosse Nick, sabe? — explicou, enquanto se servia de uma dose forte de uísque com soda.

Não havia dúvidas quanto aos sentimentos do comandante George Challenger. Estava obviamente apaixonado.

9
De A. a J.

Duvido que algum dia possa esquecer a noite que se seguiu. Poirot não cessava de se recriminar e estava em tal estado de angústia que fiquei alarmado. Andava de um lado para o outro no quarto, repreendendo-se fortemente, sem dar a menor atenção às minhas demonstrações de consolo e solidariedade.

— Mas quem poderia conceber tamanha audácia? Fui punido. Exatamente: fui castigado. Eu, Hercule Poirot, confiei demais em mim mesmo.

— Não é bem assim, Poirot.

— Mas quem poderia conceber tamanha audácia? Diga-me: quem? Nunca vi igual! Eu tinha tomado todas as precauções possíveis e imagináveis. Eu tinha praticamente posto o assassino de sobreaviso...

— Como, Poirot? Você pôs o assassino de sobreaviso?

— Você não percebeu? Chamei sua atenção para mim. Deixei-o ver que eu suspeitava de alguém. Tornei as circunstâncias perigosas demais para que ele tentasse repetir as tentativas de homicídio. Praticamente cerquei a Mademoiselle com um cordão de isolamento. E ele transpassou esse cordão de isolamento! Com uma ousadia inaudita, debaixo de nossos narizes, ele passou! Apesar de todos estarem alertados, ele conseguiu seu objetivo!

— Não, não conseguiu exatamente seu objetivo, Poirot — respondi.

— Por acaso, Hastings, só por acaso. Mas do meu ponto de vista, dá tudo no mesmo: uma vida foi tirada. E que vida não é essencial?

— Naturalmente — disse eu. — Não quis dizer o contrário.

— Mas, por outro lado, o que você disse é verdade. E, de certo modo, piora tudo. Lembre-se, meu amigo, de que o assassino está longe, como antes, de ter alcançado seu objetivo. Creio que as circunstâncias mudaram, e para pior. O que aconteceu significa que duas vidas, em vez de uma, serão sacrificadas.

— Enquanto você estiver por aqui, isso não acontecerá — disse eu com ênfase.

Ele parou e apertou calorosamente minha mão.

— Obrigado, *mon ami*! Muito obrigado. Você ainda confia no velho, ainda acredita! Isso renova minhas forças! Hercule Poirot não falhará outra vez! Não será sacrificada outra vida. Vou corrigir o engano que cometi. Porque deve ter havido um erro qualquer. Em algum momento, deve ter havido uma falta de ordem talvez, ou falta de método, um deslize, no meu raciocínio, que habitualmente funciona tão bem. Recomeçarei. Sim. Vou recomeçar lá do início. E desta vez não falharei.

— Então você realmente pensa que a vida de Nick Buckley continua em perigo? — perguntei.

— Meu amigo, por que acha que a enviei a uma clínica de repouso?

— Então não foi por causa do trauma?

— Trauma! Qualquer pessoa se recupera de um choque emocional em casa, com perspectivas muito melhores do que numa clínica de repouso! Não é agradável lá: o chão de carpete verde, a conversa das enfermeiras, as refeições em bandeja, a ininterrupta sucessão de banhos... Não, não. É só por segurança. Confidenciei ao médico toda a minha precaução. Ele concordou e tomará todas as providências. Ninguém, ninguém será admitido no quarto da srta. Buckley. Nem mesmo sua maior amiga. Só a nossa entrada será permitida. Para os outros haverá estritas ordens médicas de que visitas estão proibidas. É uma boa saída, e ninguém ficará ofendido.

— Tem razão — concordei. — Só que...

— Só que... o quê, Hastings?
— Isso não pode se estender indefinidamente.
— É verdade. Mas assim teremos uma pausa para respirar e mudar de tática. Você percebeu que o nosso objetivo mudou, não é? Que o caráter de nossas atividades será outro?
— Como assim?
— Nossa tarefa original era garantir a vida da Mademoiselle. Agora é muito mais simples, e estamos em terreno conhecido nosso: trata-se de caçar e prender um assassino.
— E você acha que é mais simples, Poirot?
— Lógico que é mais simples. O assassino já assinou seu nome na obra que realizou. Ele apareceu e *fez* alguma coisa.
— Você não acha... — hesitei, depois prossegui: — Você não acha que a polícia tem razão? Que isso se trata da obra de um louco, algum lunático à solta, um maníaco homicida?
— Estou mais convencido do que nunca do contrário.
—Você pensa mesmo que...

Parei. Poirot continuou o que eu ia dizer num tom de muita seriedade:

— Que o assassino é alguém que pertence ao grupo que rodeia Nick Buckley? Sim, *mon ami*, estou certo disso.
— Os acontecimentos de ontem à noite excluem quase completamente essa possibilidade. Estávamos todos juntos e...

Ele interrompeu:

— Você pode jurar que ninguém se desgarrou do grupo à beira do penhasco nem por um momento sequer? Pode jurar em sã consciência que os tinha todos ao alcance dos olhos, durante todo o tempo em que estivemos lá?
— Não — disse eu, abalado por suas palavras. — Penso que não. Estava escuro. Todos se mexiam e mudavam de lugar. Em ocasiões diferentes pude notar a sra. Rice, Lazarus, você, Croft, Vyse. Mas todos juntos durante todo o tempo, não.

Poirot concordou.

— Exatamente. Era uma questão de fração de tempo. As duas jovens se dirigem até a casa. O assassino, sorrateiro, segue as duas e se esconde atrás daquela árvore no meio do gramado. Nick Buckley (foi o que ele pensou) sai e passa a poucos metros dele. Ele atira três vezes em rápida sucessão...

— Três?! — exclamei.

— Sim. Dessa vez ele não queria sujeitar-se a um novo fracasso. Encontramos três balas no corpo.

— Foi muito arriscado, não acha?

— Menos arriscado que um tiro só, provavelmente. Uma pistola Mauser não faz muito barulho. Parece o pipocar dos fogos e se confundiria facilmente com o ruído deles.

— Você encontrou a arma?

— Não. E nesse pormenor está a prova irrefutável, na minha opinião, de que não é um estranho o responsável pelo crime. Concordamos os dois, não é mesmo?, em que a pistola da srta. Buckley foi roubada por uma única razão: fazer com que sua morte parecesse suicídio.

— Sim.

— Essa seria a única razão lógica, não é? Mas observe que, agora, não existiu a menor pretensão de simular um suicídio. O assassino sabe que já não pode enganar a nós dois. Ele sabe que nós sabemos!

Refleti. Não podia impedir-me de admitir a lógica daquele raciocínio.

— Que pensa que ele fez com a pistola?

Poirot deu de ombros.

— É difícil dizer. O mar estava ali bem perto: um gesto com o braço e a pistola é tragada para todo o sempre. Nunca será encontrada. Não podemos, é claro, estar absolutamente certos disso, mas é o que eu faria no lugar dele.

Sua naturalidade me deu arrepios.

— Você acha... Você acha que ele percebeu que matou a pessoa errada?

— Nos primeiros momentos, estou certo de que não — disse Poirot sombrio. — Provavelmente teve uma surpresa bem desagradável quando soube da verdade. Manter as aparências sem se trair não deve ter sido nada fácil.

Suas palavras fizeram-me lembrar a atitude curiosa de Ellen, a empregada. Comentei com Poirot o estranho comportamento dela. Ele me pareceu bastante interessado.

— Ela demonstrou surpresa ao saber que a vítima tinha sido Maggie?

— Enorme surpresa.

— Interessante. A tragédia em si, obviamente, não foi surpresa para ela. Aí está algo que precisa ser investigado. Quem é ela, essa Ellen? Tão inconspícua, tão respeitável à maneira inglesa? Será que foi ela que...? — Ele parou abruptamente.

— Se você vai incluir os acidentes — disse eu —, só um homem teria força suficiente para lançar aquele pedregulho penhasco abaixo.

— Não necessariamente. Bastaria lançar mão de uma alavanca. O serviço seria feito sem muito esforço.

Ele continuou passeando lentamente pelo quarto.

— Todos que estavam presentes ontem à noite na Casa do Penhasco são automaticamente suspeitos. Creio que podemos excluir os convidados. A maioria deles era só de conhecidos. Não havia a menor intimidade entre eles e a dona da casa.

— Charles Vyse estava lá.

— É verdade. Não podemos esquecê-lo. Ele é, por natureza, nosso maior suspeito. — Poirot fez um gesto de desespero e se jogou numa cadeira em frente à minha. — *Voilà*, aqui estamos outra vez! Voltamos sempre ao ponto de partida: um motivo! Precisamos encontrar o motivo se quisermos elucidar o crime. E é aí, Hastings, que perco continuamente. Quem teria um motivo para desejar livrar-se de Nick Buckley? Já cheguei às mais absurdas suposições. Eu, Hercule Poirot, já me deixei levar pelas mais ridículas fantasias. Atingi a mentalidade dos detetives baratos. O avô, o Velho Nick, de quem todos dizem que perdeu a fortuna no jogo, não terá escondido o dinheiro em alguma parte da Casa do Penhasco? Terá ele enterrado sua fortuna no terreno da casa? Com isso em mente (envergonho-me de confessá-lo), perguntei à Mademoiselle Nick se alguém tinha tentado comprar a casa.

— Sabe, Poirot — interpus —, a ideia não é má. É capaz de ter algum fundamento.

Poirot grunhiu em resposta.

— Sabia que você gostaria da ideia. Para seu temperamento romântico e seu intelecto ligeiramente medíocre, a ideia é irresistível. Tesouro enterrado... Você tinha de adorar a ideia!

— Não vejo por que...

— Porque, meu amigo, a explicação mais prosaica é, quase sempre, a mais provável. E ainda há o pai. Ele me fez ter ideias ainda mais degradantes. O pai de Nick Buckley era viajante por profissão. Imagine que ele tenha roubado uma joia: o olho de um deus qualquer. Os sacerdotes zelosos o perseguem. Sim. Acredite ou não, eu, Hercule Poirot, desci a esse extremo. Já tive outras ideias também referentes ao pai. Ideias mais dignificantes e mais prováveis. Ele poderia ter se casado outra vez durante suas viagens. Teríamos assim um outro herdeiro além de Monsieur Charles Vyse. Mas então esbarramos outra vez com a mesma dificuldade: não há nada de real valor para herdar. — Poirot fez uma pausa curta. — Não negligenciei nenhum ângulo. Nem mesmo o oferecimento feito pelo Monsieur Lazarus para comprar o retrato do avô, que a Mademoiselle Nick mencionou em conversa. Você se lembra? Passei um telegrama pedindo a um especialista que viesse até aqui examinar o quadro. O bilhete que escrevi para a Mademoiselle, hoje de manhã, falava da vinda dele. Imagine se o quadro valesse alguns milhares de libras?

— Você certamente não pensa que um homem rico como o jovem Lazarus...

— Ele é rico? Aparência não é tudo. Até mesmo uma firma estabelecida num palácio e com toda a aparência de prosperidade pode ter uma base apodrecida. Que se faz então? Anda-se por aí queixando-se das dificuldades atuais de vida? Não, claro que não! Compra-se um luxuoso carro novo. Gasta-se um pouco mais do que o habitual. Vive-se com um pouco mais de ostentação. Porque, você sabe, crédito é tudo: muitas vezes um negócio das arábias pode ir por água abaixo só por falta de dinheiro vivo. Às vezes, não mais do que uns milhares de libras podem arruinar tudo. — Antes que eu pudesse protestar, ele continuou: — Eu sei. Eu sei. É difícil de acreditar, mas não tanto quanto sacerdotes vingativos ou tesouros enterrados. Pelo menos tem alguma relação com os acontecimentos. Não podemos omitir coisa alguma que nos possa conduzir para mais perto da verdade.

Cuidadosamente ele rearranjou os objetos sobre a mesa à sua frente. Quando falou de novo, a voz era grave e, pela primeira vez, calma.

— Motivo! Voltemos ao mesmo ponto e encaremos o problema calma e metodicamente. Para começar, quantas espécies de motivos existem que justifiquem um homicídio? O que pode levar um ser humano a tirar a vida de outro ser humano? — Poirot refletiu por momentos e continuou. — Vamos excluir por enquanto o maníaco homicida. Estou convencido de que o caminho para a solução de nosso caso não é esse. Estão excluídos também o impulso momentâneo ou a privação temporária dos sentidos. Foi um assassinato a sangue-frio. Que motivos poderiam levar alguém a cometer um homicídio deliberado como esse? — Outra pausa. Depois ele prosseguiu: — Bem, a primeira ideia que ocorre é lucro. Quem lucraria com a morte de Mademoiselle Buckley, direta ou indiretamente? Charles Vyse seria o primeiro da lista. Mas não faz sentido: ele herdaria uma propriedade que, do ponto de vista financeiro, não compensa. Ele poderia, é verdade, pagar a hipoteca, construir casas para alugar dentro do terreno e, eventualmente talvez, tirar algum proveito da herança. O lugar poderia, também, ter algum valor afetivo para ele, se tivesse sido, por exemplo, o lar de seus ancestrais. Você sabe que certas pessoas podem ser levadas a cometer crimes em casos assim, de amor arraigado à tradição familiar. Mas nada disso acontece no caso de Monsieur Vyse. A única outra pessoa que poderia lucrar com a morte da Mademoiselle Buckley é a Madame Rice, sua amiga. Mas a importância da herança é tão pequena que é até ridículo. Ninguém mais, que eu perceba, lucraria com a morte de Mademoiselle Buckley. Que outro motivo há? Ódio? Amor que se transformou em ódio? Seria então um *crime passional*. Nós sabemos, através das observações da Madame Croft, que tanto Charles Vyse quanto o comandante Challenger estão apaixonados pela jovem.

— Creio que pudemos testemunhar nós mesmos o amor do comandante pela srta. Buckley — observei maliciosamente com um sorriso.

— É verdade. O nosso honesto marinheiro tem tendência a deixar transparecer bastante claramente seus sentimentos. Quanto ao outro, só temos as informações da Madame Croft a respeito. Agora, diga-me: se Charles Vyse se julgasse relegado a um segundo plano, ficaria ofendido a ponto de preferir matar sua prima a vê-la casada com outro homem?

— A mim me parece muito melodramático — disse eu reticente.

— Não lhe parece britânico, é o que você quer dizer. Concordo, mas mesmo os ingleses têm sentimentos. E Charles Vyse deve ter emoções fortes. Ele é um reprimido, e são esses os mais violentos. Eu nunca julgaria o comandante Challenger autor de um crime passional. Não é o tipo. Já Charles Vyse é bem capaz disso. Mas nada disso me satisfaz. Outro motivo para um crime: ciúme. Separo ciúme de amor, porque ciúme pode não ser necessariamente uma emoção sexual. Existe a inveja: inveja da fortuna de alguém, inveja do poder. Lembre-se de que a inveja impeliu Iago a cometer um dos crimes mais inteligentes que conheço do ponto de vista profissional, numa das peças de Shakespeare.

— Por que foi tão inteligente? — perguntei, momentaneamente afastado da linha geral de nossa conversa.

— Ora, Hastings! Porque ele conseguiu que outras pessoas fizessem o trabalho por ele. Imagine só um criminoso, nos dias de hoje, que ninguém conseguisse prender porque ele mesmo tem as mãos limpas! Mas não era isso que estávamos discutindo. Poderia o ciúme, de qualquer espécie, ser a mola do nosso crime? Quem tem razão para invejar a Mademoiselle Buckley? Outra mulher? Só há a Madame Rice, e não me parece que exista qualquer tipo de rivalidade entre as duas. Mas veja bem: não me *parece*, não tenho certeza. Pode haver algo a investigar aí. Por fim há o medo. Será que a Mademoiselle Nick sabe de algum segredo grave de alguém? Algum segredo que pudesse arruinar uma vida? Se ela sabe, creio que não tem consciência disso. Mas é uma possibilidade. E se for isso, fica tudo muito difícil. Porque se ela possui essa pista, não nos poderá contar nada, porquanto ela mesma ignora.

—Você acha mesmo que isso é possível?

— Bem, é uma hipótese que só apareceu por causa da dificuldade de encontrar uma teoria plausível que explique os acontecimentos. Quando se eliminam todas as possibilidades mais razoáveis, você fica dentro de um campo limitado.

Poirot silenciou por algum tempo.

Finalmente, despertando da absorção em que tinha mergulhado, pegou uma folha de papel e começou a escrever.

— Que está escrevendo? — perguntei curioso.

— *Mon ami*, estou fazendo uma lista das pessoas em volta de Mademoiselle Buckley. O nome do assassino terá de constar dessa lista, se meu raciocínio estiver correto.

Continuou a escrever pelo que pareceram vinte minutos, então me passou as folhas de papel. — Leia, *mon ami*. Veja o que depreende disso.

O que se segue foi o que li nos papéis.

A. Ellen
B. O marido jardineiro
C. O filho dos dois primeiros
D. Sr. Croft
E. Sra. Croft
F. Sra. Rice
G. Sr. Lazarus
H. Comandante Challenger
I. Sr. Charles Vyse
J. ?

Observações:

A. ELLEN. *Circunstâncias suspeitas. Comportamento quando soube do crime. O que disse. Pessoa com as melhores possibilidades para arranjar os acidentes. Devia saber da existência da pistola. Pouco provável que tenha mexido no motor do carro. O crime parece estar acima de sua capacidade mental.*
Motivo: *Nenhum, a não ser que o ódio possa ter nascido de algum incidente desconhecido.*
Nota: *Investigações necessárias quanto aos antecedentes e quanto às relações pessoais com Nick Buckley.*

B. O MARIDO JARDINEIRO. *Observações idênticas às anteriores. Única exceção: pode ter mexido no motor do carro.*
Nota: *Tem de ser interrogado.*

C. A CRIANÇA. *Fora de suspeita.*
Nota: *Deve ser interrogada, pois pode dar informações preciosas.*

D. SR. CROFT. *Única circunstância duvidosa: o fato de o termos encontrado na escada a caminho dos quartos. Forneceu explicação imediata e satisfatória, mas que pode não ser verdadeira. Nada conhecemos dos antecedentes.*
Motivo: *Nenhum.*

E. SRA. CROFT. *Circunstâncias a colocam acima de suspeitas.*
Motivo: *Nenhum.*

F. SRA. RICE. *Circunstâncias suspeitas. Ocasião perfeita para o crime. Pediu a N.B. para apanhar seu agasalho. Criou deliberadamente a impressão de que N.B. é mentirosa. Sua versão dos acidentes não inspira confiança.*
Não estava em Tavistock no momento do acidente. Onde estava, então?
Motivo: *Lucro? Quase nenhum. Ciúme? É possível, mas pouco provável. Medo? É possível também, mas nada se sabe a esse respeito.*

Nota: *É preciso conversar com N.B. a respeito, para tentar esclarecer o assunto. Será algo ligado a seu casamento com Lazarus?*

G. Sr. Lazarus. Circunstâncias suspeitas. Ocasião para preparar qualquer um dos acidentes. Oferecimento para comprar o quadro. Declaração, confirmada por F.R., de que os freios do carro estavam perfeitos. Talvez estivesse nas redondezas antes de sexta-feira.
Motivo: Nenhum, a não ser lucro na compra do quadro. Medo? Pouco provável.
Nota: *Investigar onde J.L. estava antes de chegar a Saint Loo. Pesquisar situação financeira da empresa de Lazarus.*

H. Comandante Challenger. Circunstâncias suspeitas inexistentes. Esteve nas redondezas durante toda a semana passada, portanto poderia preparar os acidentes. Chegou meia hora depois do crime.
Motivo: Nenhum.

I. Sr. Vyse. Circunstâncias suspeitas. Ausente do escritório no momento do tiro no jardim do hotel. Poderia ter preparado os acidentes. Declaração a respeito da venda da Casa do Penhasco sujeita a dúvidas. De temperamento reprimido. Provavelmente sabia da existência da pistola.
Motivo: Lucro? Improvável. Amor ou ódio? Talvez, por causa do temperamento. Medo? Impossível.
Nota: *Investigar a quem está hipotecada a casa e a posição da firma de Vyse no caso.*

J. É uma incógnita. Poderia ser até alguém de fora, ligado a uma pessoa da lista. Se esse for o caso, provavelmente o elemento de ligação seria A., D. e E., ou F. A existência de J. explicaria muita coisa: a ausência de surpresa por parte de Ellen a respeito do crime e sua satisfação, embora isso possa ser atribuído ao prazer que o crime sempre desperta em meio aos empregados. Daria a razão da presença dos Croft. Poderia fornecer motivo para o medo de F.R. de que o segredo seja revelado, ou motivo para ciúme.

Poirot me observava enquanto eu lia.

— É muito inglês, não é — comentou ele com orgulho. — Eu consigo ser mais inglês quando escrevo do que quando falo.

— É um trabalho muito bom — disse eu entusiasticamente. — Mostra com clareza todas as possibilidades.

— É — disse ele pensativo, quando tomou de volta os papéis. — E um nome me salta de imediato aos olhos, meu amigo: Charles Vyse. Ele teve as melhores oportunidades, e nós lhe atribuímos dois motivos para o crime. Numa lista de cavalos para uma corrida, ele seria favorito de saída.

— Ele é, de fato, o suspeito mais evidente.

— Você tem uma tendência a preferir sempre o criminoso mais improvável. Anda lendo livros policiais em excesso. Na vida real, nove em cada dez vezes, o assassino é o suspeito mais óbvio.

— Mas dessa vez isso não acontece, não é?

— Há só um pormenor contra isso: a audácia com que o crime foi cometido. Foi a primeira constatação que saltou aos olhos. Por causa disso, como sempre lhe disse, o motivo não pode ser óbvio.

— É, foi o que você disse de saída.

— E é o que digo outra vez.

Com um movimento brusco, ele amassou os papéis e atirou-os ao chão.

— Não! — disse ele quando tentei protestar. — A lista é inútil, mas clareou meu raciocínio. Ordem e método são o primeiro estágio para arrumar os fatos com precisão e clareza. O passo seguinte...

— Sim?...

— O segundo passo é o da psicologia. Trabalho da massa cinzenta. Aconselho você a ir para a cama, Hastings.

— Não! — protestei. — A menos que você vá se deitar também. Não vou deixá-lo sozinho.

— Cão fiel! Mas veja, Hastings, não há como ajudar ninguém a pensar. E é isso que vou fazer. Pensar.

Sacudi a cabeça com energia.

—Você pode querer discutir alguma dúvida comigo, Poirot.

—Você é mesmo um amigo leal. Pelo menos, então, sente-se na poltrona.

Essa proposta eu aceitei logo. Dali a pouco a sala começou a ficar escura e fora de foco. O último fato de que me lembro foi ver Poirot apanhando cuidadosamente os papéis amassados no chão e colocando-os na cesta de lixo.

Depois disso, devo ter caído no sono.

10
O segredo de Nick

Já era dia quando acordei.

Poirot ainda estava no mesmo lugar da véspera. A atitude era idêntica, mas, no rosto, a expressão era diferente. Os olhos tinham aquele estranho brilho felino que eu conhecia tão bem.

Lutei para sentar-me direito, com uma sensação incômoda de dormência no corpo. Dormir numa poltrona não é das coisas mais aconselháveis na minha idade, mas pelo menos um resultado positivo adveio disso: logo ao abrir os olhos, não senti aquela sonolência característica de uma noite bem dormida, mas sim as faculdades mentais em pleno funcionamento: a mente tão ativa como quando tinha adormecido.

— Poirot — exclamei —, você já resolveu parte do problema!

Ele concordou com a cabeça. Inclinou-se para a frente, tamborilando com os dedos na mesa.

— Responda, Hastings, a estas três perguntas: por que a Mademoiselle Nick tem dormido mal ultimamente? Por que comprou um vestido de noite preto, se ela nunca usou preto antes? Por que ontem à noite ela disse "Não tenho razões para viver agora"?

Olhei para ele com estranheza. As perguntas me pareciam inteiramente sem sentido.

— Responda às perguntas, Hastings! Responda!

— Bem, em primeiro lugar, ela disse que tem andado preocupada ultimamente.

— Precisamente. Por que anda preocupada?

— O vestido preto... Talvez desejasse sair da rotina. Todos saem às vezes.

— Para um homem casado, você parece conhecer muito pouco a psicologia feminina. Se uma mulher acha que uma cor não lhe cai bem, ela simplesmente se recusa a usá-la.

— E, por último, o que ela disse foi natural, depois de um choque daqueles.

— Não, *mon ami*, não foi natural. Ficar horrorizada com a morte da prima, sim, está certo. Recriminar-se pela tragédia também é natural. Mas o que ela disse, não. Ela falou da vida com cansaço, como se viver fosse um peso para ela. Nunca tinha manifestado essa atitude antes. Ela tinha desafiado a situação com um estalar de dedos, mas, quando viu que não adiantava, ficou com medo. Medo, veja bem. Porque a vida era doce, e ela não queria morrer. Cansada da vida, não. Isso nunca! Mesmo antes do jantar, não era essa a atitude. Temos aí, Hastings, uma mudança psicológica. E isso é interessante. O que causou essa modificação de ponto de vista?

— O choque da morte da prima.

— Não sei, não. Foi o choque que lhe soltou a língua, mas a modificação é anterior. O que terá sido?

— Não me ocorre nada que possa ter causado o fenômeno.

— Pense, Hastings, pense! Use a massa cinzenta.

— Eu realmente...

— Quando tivemos oportunidade de observá-la pela última vez?

— Não foi durante o jantar?

— Exatamente! Depois disso só a vimos recebendo os convidados, tentando deixá-los à vontade, isto é, numa atitude formal. Que aconteceu no final do jantar, Hastings?

— Ela saiu para falar ao telefone — disse eu devagar.

— Até que enfim! Você chegou aonde eu queria! Ela saiu para falar ao telefone. E demorou pelo menos vinte minutos. É muito tempo para um telefonema. Quem falou com ela? Que disseram os dois? Será que ela foi telefonar mesmo? Temos de descobrir,

Hastings, o que aconteceu naqueles vinte minutos. Não tenho a menor dúvida de que a pista que procuramos está aí.

—Você acredita realmente nisso?

— Mas claro! Durante todo o tempo eu lhe disse que Nick Buckley guardava algum segredo, que ela julga não ter a menor ligação com o crime. Mas eu, Hercule Poirot, enxergo mais longe! Deve haver uma ligação. Enquanto investigava, eu sempre tinha a sensação de que faltava um elo em algum lugar. Ora, se não faltasse esse elo, tudo estaria claríssimo para mim. Como nada está claro, é evidente que o elo que falta é a chave do mistério! Sei que estou certo, Hastings. Preciso saber a resposta a essas três perguntas. Quando souber, então tudo começará a se esclarecer.

— Bem — disse eu, espreguiçando-me —, acho que vou tomar banho e fazer a barba.

Quando terminei meu banho e pude mudar de roupa, senti-me outro. A dor no corpo e o cansaço de uma noite maldormida passaram. Fui para a mesa com a sensação de que um bom café bem quente restauraria inteiramente minhas forças.

Dei uma olhada no jornal, mas as notícias não tinham o menor interesse. Só a morte de Michael Seton, agora confirmada, prendia a atenção. O intrépido aventureiro havia perecido. Comecei a imaginar como seriam as manchetes do dia seguinte. "JOVEM ASSASSINADA DURANTE DEMONSTRAÇÃO DE FOGOS DE ARTIFÍCIOS. TRAGÉDIA MISTERIOSA." Alguma coisa assim.

Quando estava terminando meu café, Frederica Rice veio até minha mesa. Ela usava um vestidinho preto, simples, com uma gola branca de pregas soltas. O tom claro de sua pele branca sobressaía mais do que nunca.

— Queria ver o Monsieur Poirot, capitão Hastings. Ele já está de pé?

— Eu a levarei até ele — respondi. — Deixei-o na saleta quando desci.

— Muito obrigada.

— Espero que não tenha dormido muito mal — disse eu quando saímos do restaurante.

— Foi brutal — disse ela, em tom meditativo. — Naturalmente eu não conhecia a moça e, para mim, teria sido pior se tivesse sido Nick.

— A senhora nunca tinha visto a moça antes?

— Uma vez só, em Scarborough. Ela veio almoçar com Nick.

—Vai ser um terrível golpe para os pais dela — disse eu.

— Horrível.

Ela disse isso muito impessoalmente. Era uma egoísta, pensei. Nada era muito real se não a envolvesse diretamente.

Poirot tinha acabado seu café e lia o jornal. Ergueu-se e cumprimentou Frederica com sua costumeira polidez francesa:

— Madame. *Enchanté!*— Em seguida ofereceu uma cadeira.

Ela lhe agradeceu com um ligeiro sorriso e sentou-se, as mãos pousadas nos braços da poltrona. Não se apressou a falar e manteve-se ereta, os olhos fixos à frente. Havia algo de preocupante por trás de sua imobilidade e distância.

— Monsieur Poirot — disse ela por fim —, creio que não há dúvidas de que esse negócio triste de ontem à noite faça parte de tudo o que tem acontecido. A verdadeira vítima deveria ser Nick, não é?

— Eu diria que não tenho a menor dúvida a respeito, Madame.

Frederica franziu a testa.

— Nick é mesmo muito sortuda.

Havia algo curioso por trás dessas palavras, algo que não consegui identificar.

— Dizem que a sorte é traiçoeira — comentou Poirot.

— Talvez. E é inútil lutar contra ela.

Agora havia só cansaço no tom de voz. Depois de uma pausa, ela prosseguiu:

— Preciso pedir desculpas, Monsieur Poirot, ao senhor e a Nick. Até ontem à noite eu não acreditava. Nunca imaginei que o perigo pudesse ser sério.

— É mesmo, Madame?

— Agora concordo que tudo deva ser investigado cuidadosamente. E os amigos mais próximos de Nick não estão acima de suspeita. É ridículo, mas assim deve ser. Correto, Monsieur Poirot?

— A senhora é muito inteligente.

— O senhor indagou outro dia sobre Tavistock, Monsieur Poirot. Como o senhor vai descobrir de qualquer maneira, mais cedo ou mais tarde, é melhor que lhe diga a verdade agora. Não estive em Tavistock.

— Não, Madame?

— Viemos de carro, o sr. Lazarus e eu, para esta parte do país, no princípio da semana passada. Não queríamos despertar comentários inúteis a respeito. Então paramos num lugarzinho chamado Shellacombe.

— Fica a umas sete milhas daqui, se não me engano.

— Mais ou menos isso.

Ainda aquele cansaço distante.

— Permite-me uma impertinência, Madame?

— Ainda existe isso hoje em dia?

— Talvez tenha razão, Madame. Diga-me: há quanto tempo a senhora e o Monsieur Lazarus são amigos?

— Conheci-o há seis meses.

Frederica deu de ombros.

— Ele... Ele é rico.

— *Oh! Là là* — exclamou Poirot. — Dizer isso é deselegante!

Ela parecia estar se divertindo.

— Não é melhor eu mesma dizer do que esperar que o senhor o diga por mim?

— É verdade. Existe sempre esse perigo. Se me permite, torno a dizer que é muito inteligente.

— O senhor me dará um diploma muito breve — disse ela, levantando-se.

— Não tem mais nada para me dizer, Madame?

— Não. Acho que não. Vou levar umas flores para Nick e saber como está.

— É muito amável de sua parte. Muito obrigado por sua franqueza, Madame.

Ela olhou para ele de relance como se fosse dizer alguma coisa, arrependeu-se e saiu sorrindo ligeiramente para mim quando lhe abri a porta.

— Ela é inteligente — disse Poirot. — Mas Hercule Poirot também é.

— Que quer dizer? — perguntei.

— Que é muito oportuno e conveniente ser tão óbvia a respeito da riqueza do Monsieur Lazarus.

— Devo dizer que isso me enojou...

— Meu caro, você sempre tem a reação certa no momento errado! No momento não se trata de uma questão de bom ou mau gosto. Se a Madame Rice tem um amigo dedicado que lhe dá tudo de que necessita, obviamente ela não precisará matar sua maior amiga por uma ninharia.

— Oh! — exclamei, compreendendo afinal.

— Precisamente: oh!

— Por que então não a impediu de ir à clinica?

— E por que mostrar minhas cartas? Não é Hercule Poirot que vai impedir a Mademoiselle Nick de ver suas amigas. Que ideia! São os médicos e enfermeiras. Aquelas enfermeiras maçantes cheias de normas e regulamentos e "ordens médicas".

— Você não tem medo de que a deixem entrar? Afinal, a própria Nick pode insistir.

— Ninguém entrará a não ser você e eu, meu caro Hastings. E quanto mais cedo nós formos lá, melhor.

De repente a porta se abriu violentamente, e George Challenger entrou, o rosto moreno rubro de indignação.

— Escute aqui, Monsieur Poirot, que significa isso? Telefonei para aquela maldita clínica onde Nick está e perguntei como ela estava e quando poderia visitá-la. Responderam-me que o médico não permite visitas. Quero saber o que significa isso! É trabalho seu ou Nick está realmente doente?

— Asseguro-lhe, Monsieur, que não dito normas para clínicas de repouso. Não ousaria. Por que não telefona para o bom doutor... Como é mesmo o nome? Graham?

— Já telefonei. Ele disse que o quadro dela é estável. Os médicos sempre dizem isso. Mas conheço os truques da profissão. Meu tio é médico. Harley Street. É neurologista, psicanalista e todo o resto. Estou cansado de ver essa tática de afastar os parentes e amigos com palavras de conforto. Não acredito que Nick não esteja em condições de ver os amigos. E vou lhe dizer: acho que o senhor é o causador disso tudo.

Poirot sorriu afetuosamente. Aliás, já observei que meu amigo tem uma ternura especial para com os apaixonados.

— Escute, *mon ami* — disse ele. — Se uma pessoa conseguir entrar, o senhor não pode impedir outras de quererem visitá-la. O senhor compreende? Tem de ser tudo ou nada. Nós só queremos o bem-estar da Mademoiselle, não é, comandante? Pois é. Então agora o senhor entende: ninguém pode entrar.

— Compreendo — disse Challenger devagar. — Mas então...

— Nem uma palavra mais! Não diremos mais nada a respeito e esqueceremos de pronto o que já foi dito. Prudência, de muita prudência é o que precisamos no momento.

— Não abrirei a boca — disse o comandante em voz baixa. — Flores não estão proibidas, não é? Desde que não sejam brancas.

Poirot sorriu.

— E agora — disse Poirot, depois que a porta se fechou atrás do comandante Challenger —, enquanto Monsieur Challenger, a Madame Rice e talvez o Monsieur Lazarus se encontram na loja de flores, nós vamos silenciosamente até a clínica.

— Vai fazer-lhe aquelas três perguntas? — indaguei.

— Vamos, sim. Embora eu já saiba as respostas.

— O quê?

— É isso mesmo.

— Quando descobriu?

— Enquanto tomava meu café, Hastings. Tudo era tão óbvio. Estava na minha cara.

— Diga-me, então.

— Não. Vamos ouvir as respostas da Mademoiselle.

Então, como se para distrair minha atenção, empurrou para mim um envelope aberto.

Era o relatório de um especialista em arte que Poirot tinha solicitado para examinar o retrato do Velho Nick. O relatório dizia que o quadro definitivamente não valia mais de vinte libras.

— Essa parte está esclarecida.

— Não há rato nessa toca — disse eu, lembrando-me de uma metáfora usada por Poirot num caso antigo.

— Ah! Você se lembra disso? Tem razão: não há ratos nessa toca. O quadro vale vinte libras, e o Monsieur Lazarus ofereceu cinquenta. Que engano de avaliação para um jovem que parece tão astuto! Mas, enfim, precisamos partir.

A clínica de repouso estava situada numa colina e descortinava toda a baía. Um servente de branco nos recebeu. Fomos levados a uma saleta do primeiro andar, e logo depois entrou uma enfermeira com ar decidido.

Um olhar para Poirot foi suficiente.

Evidentemente ela tinha recebido instruções do dr. Graham e uma descrição minuciosa do meu pequeno amigo detetive. Ela sorriu disfarçadamente.

— A srta. Buckley passou bem a noite. Quer subir?

Encontramos Nick num quarto agradável, cheio de sol, deitada numa cama estreita de ferro. Sua face pálida e seus olhos estranhamente vermelhos denotavam cansaço e inquietação.

— Foi amável de sua parte vir visitar-me — disse ela inexpressiva.

Poirot tomou-lhe as mãos.

— Coragem, Mademoiselle. Sempre vale a pena viver.

As palavras a surpreenderam. Ela olhou para ele.

— Oh! Oh! Não! — disse ela.

— Vai me dizer agora, Mademoiselle, o que a vem afligindo ultimamente? Ou vai deixar-me adivinhar? Quero apresentar-lhe meus pêsames, meus profundos sentimentos.

Ela corou.

— Então o senhor sabe! Bem, não importa mais. Tudo acabou. Nunca mais vou vê-lo!

A voz partiu-se num soluço.

— Coragem, Mademoiselle.

— Não tenho mais coragem. Usei toda a que tinha nessas últimas semanas. Esperando, esperando e, por fim, esperando sem esperança.

Eu assistia a tudo atônito. Não compreendia nada.

— Olhe para o pobre Hastings — disse Poirot. — Não sabe do que falamos.

Os olhos, onde se estampava a infelicidade, encontraram os meus.

— Michael Seton, o aviador... Estávamos noivos, e ele morreu.

11
O motivo

Eu estava aturdido.

Virei-me para Poirot.

— Era essa a sua descoberta?

— Sim, *mon ami*. Soube esta manhã.

— Como soube? Como adivinhou? Você disse que estava claro à sua frente, no café da manhã.

— E estava. Bem na primeira página do jornal. Lembrei-me da conversa de ontem durante o jantar, e então tudo se encaixou.

Virou-se para Nick outra vez.

— A senhorita ouviu a notícia ontem à noite, não foi?

— Foi, sim. No rádio. Dei uma desculpa dizendo que ia falar ao telefone. Queria ouvir as notícias sozinha, caso fossem desagradáveis. — Ela engoliu em seco. — E então ouvi...

— Eu sei, eu sei. — Ele tomou as mãos dela.

— Foi... Foi horrível. Todo mundo chegando e eu tendo de recebê-los. Não sei como aguentei. Parecia um pesadelo. Era como se eu fosse uma pessoa estranha olhando para mim mesma. E tendo de comportar-me como sempre. Uma sensação muito esquisita.

— Compreendo.

— E quando fui buscar o agasalho de Freddie, por um momento eu desanimei, mas recuperei-me logo. Maggie me chamava continuamente pedindo o casaco. Como demorei um pouco, ela apanhou meu xale e saiu. Retoquei a pintura com um pouco de pó e batom e a segui. E lá estava ela... morta.

— Deve ter sido um tremendo choque.

— O senhor não compreende. Eu estava furiosa! Queria que tivesse sido eu! Queria estar morta! E estava viva, muito viva, por anos e anos talvez. E Michael morto. Afogado em algum lugar do Pacífico.

— Pobre menina.

— Não desejo mais viver! Não quero mais viver! — gritou ela, revoltada.

— Eu sei. Eu sei. Para todos nós há sempre um momento em que preferimos a morte. Mas isso passa. O tempo apaga tudo. A senhorita não acredita em mim, eu sei. É inútil para um velho como eu falar assim: palavras vazias, é o que pensa. Palavras vazias...

— O senhor pensa que vou esquecer e me casar com outro! Nunca!

Ela estava muito bonita sentada na cama, as faces em fogo, as mãos crispadas.

— Não, não. Não penso em nada parecido. A senhorita tem muita sorte. Foi amada por um grande homem: um herói. Como o conheceu? — perguntou Poirot.

— Foi em Le Touquet, setembro passado. Há quase um ano.

— E ficaram noivos quando?

— Logo depois do Natal. Mas tinha de ficar em segredo.

— Por quê?

— Por causa do tio dele, o velho Sir Matthew Seton. Ele adorava pássaros e detestava mulheres.

— Mas isso não é razoável!

— Não é bem assim. Ele era meio louco. Pensava que as mulheres só estragavam a vida dos homens. E Michael dependia completamente dele. O tio tinha muito orgulho de Michael. Financiou a construção do Albatroz e pagou pela viagem ao redor do mundo. Era o seu maior sonho essa viagem. Dele e de Michael. Se Michael tivesse sobrevivido, poderia pedir qualquer coisa ao tio. E se o velho se zangasse com o noivado, Michael seria um herói mundial, e o tio acabaria por fazer as pazes.

— Compreendo.
— Mas Michael disse que seria fatal se o tio desconfiasse de alguma coisa antes. Tivemos de manter absoluto sigilo. Eu mantive. Nunca disse nada a ninguém. Nem mesmo a Freddie.

Poirot grunhiu.

— Se me tivesse dito, Mademoiselle...

Nick olhou para ele.

— Que diferença poderia fazer? Não tinha nada a ver com os atentados. — Ela fez uma pausa. — Não. Prometi a Michael e cumpri a palavra. Foi horrível. A angústia, a espera, a ansiedade durante todo o tempo. Todos me dizendo que eu parecia nervosa, e eu sem poder explicar.

— Agora compreendo tudo.

— Ele já fora dado como desaparecido antes. O senhor sabia? Enquanto cruzava o deserto em direção à Índia. Foi horrível, mas depois tudo se arranjou. A máquina foi danificada mas consertada logo depois, e ele pôde continuar. Eu dizia para mim mesma que seria igual desta vez. Todos diziam que ele estava morto, e eu me repetia sempre que não, que ele estava bem. Até que, ontem à noite...

A voz dela era só um murmúrio nas últimas palavras.

— A senhorita tinha esperanças até então?

— Na verdade, não sei. Creio que me recusava a acreditar. Era horrível não poder contar a ninguém.

— Posso bem imaginar. Nunca teve a tentação de contar à Madame Rice?

— Algumas vezes, desesperadamente.

— Não crê que ela tenha adivinhado?

— Acho que não. — Nick considerou a hipótese cuidadosamente. — Ela nunca disse nada. É claro que, de vez em quando, ela fazia insinuações a respeito de sermos grandes amigas e não haver segredos entre nós.

— Não pensou em contar a ela nem quando o tio do Monsieur Seton morreu? A senhorita sabia da morte dele, não é? Há mais ou menos uma semana já.

— Eu sei. Foi durante uma cirurgia. Creio que então poderia ter revelado a qualquer pessoa. Mas não seria muito elegante, não acha? Pareceria que estava me gabando, num momento em que todos os jornais falavam de Michael. Repórteres viriam entrevistar-me, com certeza. Ficaria muito vulgar. E Michael não gostaria.

— Concordo com sua opinião, Mademoiselle. Não poderia anunciar publicamente, mas falar com uma amiga em particular é outra coisa.

— Eu dei uma indireta para alguém — disse Nick. — Achei que devia isso a ele, mas não sei se ele... se a pessoa percebeu.

Poirot sacudiu a cabeça.

— Tem boas relações com seu primo, Monsieur Vyse? — perguntou ele, mudando subitamente de assunto.

— Charles? O que fez o senhor lembrar-se dele?

— Estava só pensando, é tudo.

— Charles é boa pessoa — disse Nick. — Não é nada impetuoso, é claro. Nunca sai de seu lugar. Não creio que aprove a vida que levo.

— Oh! Mademoiselle, Mademoiselle! Ouvi dizer que ele se colocou a seus pés.

— Desaprovar alguém não impede você de se apaixonar por esse alguém. Charles acha lamentável a minha maneira de viver. Ele desaprova meus drinques, minha aparência, meus amigos e minhas conversas. Mas eu o fascino. Ele espera regenerar-me um dia, creio.

Ela fez uma pausa e disse com uma ligeira piscadela:

— De quem andou arrancando as informações locais?

— Não me recrimine, Mademoiselle. Tive uma conversinha com aquela senhora australiana, Madame Croft.

— Ela é um amor, quando se tem tempo para ela. Sentimental demais: amor, lar e crianças. Sabe como é.

— Eu mesmo me considero obsoleto e sentimental, Mademoiselle.

— É mesmo? Eu imaginava que o capitão Hastings fosse o mais sentimental dos dois.

Fiquei encabulado.

— Ele está furioso — disse Poirot constatando com grande prazer o meu embaraço. — Mas a senhorita está certa. Sim, está certa.

— Absolutamente! — protestei zangado.

— Hastings tem uma índole singularmente boa. Por muitas vezes isso me atrapalhou.

— Não seja absurdo, Poirot! — disse eu.

— Ele não percebe maldade em nada nem em ninguém e, quando finalmente percebe, fica tão justamente indignado que se torna incapaz de disfarçar. Sem dúvida uma natureza rara e bela. — E virando-se para mim, continuou: — Não, *mon ami*, não permitirei que me contradiga. É verdade o que acabo de dizer.

—Vocês dois têm sido muito bons para mim — disse Nick baixinho.

— Não foi nada, Mademoiselle. Temos muito que fazer. Para começar, a senhorita permanece aqui. Vai obedecer às ordens. Fará o que eu mandar. A esta altura não quero empecilhos.

Nick suspirou cansada.

— Faço tudo o que quiser. Nada me importa.

— Não verá seus amigos por enquanto.

— Não faz mal. Não quero ver ninguém.

— Fará a parte passiva. Nós agiremos. Vou deixá-la entregue à sua dor. Não desejo perturbá-la por mais tempo.

Dirigiu-se para a porta e parou, com a mão pousada na maçaneta.

— A propósito, a senhorita mencionou um testamento que fez. Sabe onde está?

— Oh! Está por aí, em algum lugar.

— Na Casa do Penhasco?

— É.

— Num cofre? Trancado em sua secretária?

— Para dizer a verdade, não sei. Está em algum lugar. — Ela franziu a testa. — Sou terrivelmente relaxada, sabe? Papéis e coisas assim devem estar sobre a mesa, na biblioteca. É onde está a maioria das contas. O testamento deve estar no meio delas. Ou talvez no meu quarto.

— Permite-me procurar?

— Claro. Procure onde quiser.

— *Merci*, Mademoiselle. Aproveitarei sua permissão.

12
Ellen

Poirot não disse uma palavra até que estivéssemos do lado de fora. Então ele agarrou meu braço.

—Viu, Hastings? Viu? Deus do céu! Eu estava certo! Eu estava certo! Senti durante todo o tempo que faltava algum pormenor. Uma peça do quebra-cabeça não estava lá. E sem essa peça o conjunto estava sem sentido.

Seu tom quase desesperado de triunfo me parecia bastante exagerado. Não me constava que nada de tão importante tivesse acontecido.

— Estava ali todo o tempo e eu não percebia. Mas, também, como poderia perceber? Saber que existe algo mais é uma coisa, porém saber em que consiste este algo mais é coisa completamente diferente! É muito mais difícil.

—Você quer dizer que essa história teve alguma influência no crime?

— Será que você ainda não percebeu?

— Para lhe dizer a verdade, não.

— Será possível? Ora, o que a srta. Buckley nos relatou nos dá o que faltava: o motivo. O misterioso motivo, oculto até então.

— Devo ser muito estúpido, pois não entendo nada. Você se refere à inveja ou ao ciúme?

— Inveja? Não, meu amigo. O motivo de sempre, o inevitável e habitual motivo: dinheiro, meu caro, dinheiro!

Olhei para ele espantado. Ele continuou calmamente.

— Escute, Hastings. Há pouco mais de uma semana morreu Sir Matthew Seton. E ele era um milionário, um dos homens mais ricos da Inglaterra.

— Sei, mas...

— Espere. Chegaremos lá. Ele tinha um sobrinho a quem adorava e para quem, nós supomos, deve ter deixado toda sua enorme fortuna.

— Mas...

— Claro: deve haver outros legados, uma doação para a perpetuação de suas manias, mas o grosso da fortuna ficaria para Michael Seton. Terça-feira passada Michael Seton foi dado como desaparecido, e na quarta-feira começaram os atentados contra a vida da Mademoiselle. Suponha, Hastings, que o sr. Seton tenha feito um testamento antes de iniciar sua grande aventura, deixando sua fortuna para a noiva.

— É só uma suposição sua.

— Sim, é uma suposição, mas deve ter sido assim. Porque se não foi, nada do que aconteceu faz sentido. Lembre-se de que não se trata de herança desprezível. É uma fortuna considerável.

Fiquei calado por algum tempo meditando sobre o que tinha ouvido. Parecia-me que Poirot estava chegando a conclusões apressadas, mas mesmo assim eu estava convencido de que ele devia estar certo. Seu faro extraordinário me influenciava, porém ainda restava provar muita coisa.

— Mas se ninguém sabia do noivado, Poirot! — argumentei.

— Alguém devia saber. Há sempre alguém que sabe. Se não sabem, adivinham. Madame Rice suspeitava. Mademoiselle Buckley mesmo admitiu essa hipótese. E a sra. Rice deve ter tido meios de transformar sua dúvida em certeza.

— Como?

— Bem, por um lado, deve haver cartas do sr. Seton para Nick Buckley. Afinal de contas, eles estiveram noivos durante certo tempo. A melhor amiga dela sabia que a jovem era descuidada. Ela sempre deixa tudo espalhado por toda a parte. Duvido que alguma vez na vida tenha trancado alguma coisa. Ah, sim, havia meios de saber.

— E Frederica Rice saberia do testamento da amiga?

— Sem dúvida. Você se lembra da minha lista de pessoas, de A a J.? Pois bem, essa lista está diminuindo: só temos duas pessoas agora. Os empregados estão de fora. O comandante Challenger também, embora ele tenha levado uma hora e meia para chegar, vindo de Plymouth, que fica só a trinta milhas daqui. Monsieur Lazarus, que ofereceu cinquenta libras por um quadro que só vale vinte, está fora. De fora também estão os australianos, tão amáveis e simpáticos. Só ficam duas pessoas na lista.

— Uma é Frederica Rice — disse eu devagar.

Revi em pensamento o rosto, os cabelos dourados, a alva fragilidade de sua aparência.

— Sim, tudo parece convergir para ela. Por mais mal-escrito que esteja o testamento, ela seria obviamente a herdeira universal. Com exceção da Casa do Penhasco, todo o resto ficaria para ela. Se Mademoiselle Nick estivesse no lugar de Mademoiselle Maggie ontem à noite, a Madame Rice seria hoje uma mulher rica.

— Não posso acreditar!

— Você quer dizer que não acredita que uma mulher bonita possa ser assassina? Por causa desse preconceito, às vezes passam-se momentos difíceis diante de um júri. Mas você pode estar certo. Ainda há outro suspeito.

— Quem?

— Charles Vyse.

— Mas ele só herda a casa.

— É. Mas ele pode não saber disso. Foi ele que fez o testamento? Creio que não. Porque se tivesse sido ele, o documento estaria em seu poder e não "em algum lugar por aí", ou coisa parecida, como disse a jovem. Portanto, Hastings, é pouco provável que ele saiba algo a respeito do testamento. Possivelmente pensa que ela nunca fez um testamento e, nesse caso, ele herdaria tudo, sendo o parente mais próximo.

— Sabe o que mais? — disse eu. — Acho essa segunda hipótese mais provável.

— Lá vem você com suas tendências românticas, Hastings. O advogado maligno! É figura comum nos romances. E, se além de advogado, ele ainda por cima tem feições impassíveis, então é quase certo que seja o culpado. É verdade que ele se encaixa mais nas circunstâncias do que a Madame, e provavelmente seria mais fácil para ele saber da existência da pistola e de seu manejo.

— Mais fácil para ele também deslocar o pedregulho.

— Talvez. Embora, como eu já disse, muito possa ser feito por meio de alavancas. O fato de que a pedra rolou no momento errado e não acertou o alvo me parece mais obra feminina. A ideia de mexer no motor de um carro, por outro lado, parece mais masculina, embora existam mulheres que são tão boas mecânicas quanto um homem. Entretanto existem dois ou três buracos na teoria contra o Monsieur Vyse.

— Por exemplo?

— Ele tinha menos probabilidade de saber do noivado do que a Madame. E há mais: ele teria sido muito precipitado em suas ações.

— Como assim?

— Até ontem à noite não havia nenhuma certeza da morte de Seton. Agir apressadamente, sem a devida segurança, não é característica de um homem de leis.

— Sim. Uma mulher se adiantaria mais.

— Exatamente. O que uma mulher quer, até Deus também quer. Essa é a atitude.

— É espantoso como Nick Buckley conseguiu escapar de tudo. É quase incrível.

De repente lembrei-me do tom de voz com que Frederica Rice dissera: "Nick é mesmo muito sortuda." Estremeci.

— Sim — disse Poirot pensativo. — Não tenho nenhum mérito nisso. É humilhante.

— Foi a providência divina — murmurei.

— Ah, *mon ami*! Eu não colocaria nos ombros do bom Deus o peso dos crimes dos homens. Você diz isso na sua voz agradecida dos serviços dominicais, sem refletir que suas palavras implicam realmente que o bom Deus tenha matado Maggie Buckley.

— Francamente, Poirot!

— Francamente digo eu, meu caro! Não ficarei inerte dizendo que o bom Deus conserta tudo e que eu não devo interferir, porque estou convencido de que o bom Deus criou Hercule Poirot deliberadamente para que ele interfira nas coisas. É meu *métier*.

Estávamos subindo a trilha ziguezagueante que levava ao penhasco. Nesse momento passamos pelo portãozinho e entramos nos terrenos da casa.

— Ufa — exclamou Poirot. — Subida íngreme essa! Estou com calor. Meu bigode está até caído. Como disse antes, estou ao lado do inocente: ao lado da Mademoiselle Nick porque foi atacada; ao lado da Mademoiselle Maggie porque foi assassinada.

— E está contra Frederica Rice e Charles Vyse.

— Não, não, Hastings. Não tenho preconceitos no momento. Só os terei quando um dos dois for indiciado.

Tínhamos chegado ao gramado da casa, e um homem aparava a grama com uma máquina. Tinha uma expressão grosseira e os olhos sem brilho. Ao seu lado via-se um menino de uns dez anos, feio, porém com aspecto inteligente.

Achei curioso que não tivéssemos ouvido antes o ruído da máquina, mas concluí que o jardineiro não queria fatigar-se. Ele estava provavelmente descansando e recomeçou a trabalhar quando ouviu nossas vozes se aproximando.

— Bom dia — disse Poirot.

— Bom dia, senhor.

— O senhor é o jardineiro, não é? É marido da Madame?

— Ele é meu pai — disse o menino.

— Sou eu mesmo, senhor — respondeu o homem. — E o senhor deve ser o estrangeiro que é um detetive de verdade. Tem alguma notícia da nossa patroazinha?

—Venho de lá nesse momento. Ela passou uma noite satisfatória.
— A polícia veio aqui — disse o menino. — Foi aqui que a mulher foi morta. Nesses degraus. Um dia eu vi matarem um porco, não foi, papai?
— É — respondeu o pai indiferente.
— Papai costumava matar porcos quando trabalhava numa fazenda, não é, papai? Eu vi matarem um porco. Gostei muito.
— Crianças gostam de ver isso — disse o homem como se estivesse declarando algo natural e inalterável.
—Atiraram na moça com uma pistola — continuou o menino. — Não cortaram a garganta dela, não.
Dirigimo-nos para a casa e senti-me aliviado ao afastar-me daquela criança sinistra.
Poirot entrou na sala de visitas, cujas janelas estavam abertas, e tocou a campainha. Ellen, corretamente vestida de preto, atendeu ao chamado e não demonstrou surpresa ao ver-nos.
Poirot explicou que tínhamos a permissão da srta. Buckley para dar uma busca na casa.
— Muito bem, senhores.
— A polícia já terminou?
— Eles disseram que já tinham visto tudo o que queriam. Andaram por todo o jardim desde muito cedo hoje. Não sei se encontraram alguma coisa.
Ela ia sair quando Poirot lhe dirigiu a palavra:
— A senhora se surpreendeu ontem à noite quando soube que a srta. Buckley tinha sido morta?
— Muito, senhor Poirot. A srta. Maggie era muito boa. Não consigo imaginar que haja alguém tão cruel que lhe quisesse fazer mal.
— Se tivesse sido outra pessoa, a senhora não se surpreenderia tanto, não é?
— Não compreendo. O que quer dizer, senhor?
— Quando entrei no saguão ontem à noite — disse eu —, a senhora perguntou imediatamente se alguém tinha sido ferido. Esperava que algo assim acontecesse?

Ellen calou-se. Seus dedos brincavam com o avental. Sacudiu a cabeça e murmurou:

— Os senhores nunca entenderiam.

— Sim — disse Poirot. — Por mais fantástico que seja o que vai dizer, nós compreenderíamos.

Ela olhou para ele com ar de dúvida e depois pareceu disposta a confiar em Poirot.

— O senhor pode bem ver que esta casa não é uma casa boa.

Fiquei surpreso e desapontado. Poirot, entretanto, não achou nada de estranho na observação.

— A senhora quer dizer que a casa é velha.

— Sim, senhor. Não é uma casa boa.

— Há quanto tempo está aqui?

— Seis anos. Mas já estive aqui quando era menina. Na cozinha, como ajudante. Foi na época do velho Sir Nicholas. Era a mesma coisa naquele tempo.

Poirot a olhava atentamente.

— Numa casa antiga — disse ele —, parece pairar às vezes uma atmosfera sinistra.

— É isso mesmo, senhor! — exclamou Ellen vivamente.

— Desgraça. Maus pensamentos e infortúnios também. É como uma espécie de podridão. E o senhor não pode escapar. Está no ar. Sempre tive certeza de que alguma infelicidade aconteceria nesta casa um dia.

— E a senhora estava certa, como vê.

— Sim, senhor.

Havia uma espécie de satisfação oculta no tom com que respondeu: a satisfação de ver realizados seus lúgubres prognósticos.

— Mas não lhe passou pela cabeça que pudesse ser a srta. Maggie.

— Não. Na verdade, não, senhor. Ninguém a detestava, estou certa disso.

Pareceu-me que havia um certo mistério em suas palavras. Julguei que Poirot fosse insistir no assunto, mas, para surpresa minha, ele mudou completamente de direção:

— Não ouviu os tiros?

— Não poderia dizê-lo, com o barulho dos fogos de artifício. Muito barulhentos.

— E a senhora não assistiu à queima?

— Não. Eu ainda não tinha acabado de arrumar a cozinha.

— E o garçom estava ajudando?

— Não, senhor. Ele tinha ido ver os fogos, do jardim.

— Mas a senhora não foi.

— Não, senhor.

— E por quê?

— Queria acabar logo o serviço.

— Não gosta de fogos de artifício?

— Gosto, sim. Mas é que há duas noites de fogos, e amanhã William e eu estamos de folga. Vamos os dois à cidade e veremos os fogos de lá.

— Compreendo — murmurou Poirot. — E a senhora ouviu a Mademoiselle Maggie perguntando pelo casaco que não encontrava?

— Ouvi a srta. Nick subir as escadas. Depois a srta. Maggie gritou do saguão, dizendo que não encontrava alguma coisa e que não tinha importância, pois ia apanhar o xale.

— Perdão — interrompeu Poirot. — A senhora não tentou procurar o casaco para ela? Nem se ofereceu para ir até o carro, onde estava o agasalho?

— Eu estava trabalhando, senhor.

— É verdade. E sem dúvida, nenhuma das duas lhe perguntou pelo casaco porque pensavam que a senhora estava assistindo aos fogos.

— Creio que sim.

— Nos outros anos, a senhora saía para ver os fogos?

As faces pálidas de Ellen coraram subitamente.

— Não sei o que quer dizer, senhor. Sempre pudemos sair para o jardim quando quiséssemos. Se este ano eu não quis ver os fogos e sim terminar meu trabalho é problema meu, eu creio.

— Mas claro, claro. Não quis ofendê-la. Por que não fazer sempre o que prefere? Sair da rotina é agradável.

Ele fez uma pausa e acrescentou:

— Agora um outro detalhe em que pode ajudar-me. Esta casa é antiga. Será que existem nela quartos secretos ou coisa parecida?

— Bem, existe aqui neste aposento mesmo uma espécie de painel secreto. Lembro-me de tê-lo visto quando ainda era pequena. Só que esqueci onde era. Nem tenho certeza se era aqui mesmo ou na biblioteca.

— Era suficientemente grande para esconder uma pessoa?

— Oh, não, senhor! Era uma prateleirinha, um nicho. Nada mais que uns 35cm².

— Oh! Não foi isso que eu quis dizer!

Ellen corou outra vez.

— Se o senhor pensa que eu estava escondida, está muito enganado! Ouvi a srta. Nick correr escada abaixo e depois gritar. Então fui até o saguão para ver se tinha acontecido alguma coisa. Essa é toda a verdade. Juro.

13
Cartas

Tendo se livrado de Ellen, Poirot virou-se, pensativo, para mim.

— Fico imaginando: será que ela não ouviu os tiros? Creio que sim. Ela os ouviu e abriu a porta da cozinha, assim como deve ter ouvido Nick Buckley descer correndo a escada. Então ela saiu para ver o que estava acontecendo. Tudo muito natural. Mas por que ela não foi assistir aos fogos? Isso é o que eu gostaria de saber, Hastings.

— Que ideia foi aquela de perguntar por um painel secreto?

— Foi uma ideia de momento. Lembre-se de que, apesar de tudo, ainda não nos desfizemos de J.

— Que J.?

— A última pessoa de minha lista: o elemento hipotético que viria de fora. Suponha por exemplo, que, por alguma razão ligada a Ellen, esse elemento tenha entrado na casa ontem à noite. Ele ou ela esconde-se num aposento secreto aqui nesta sala. Passa uma jovem que lhe parece ser Nick Buckley. Ele, ou ela, a segue e atira — Poirot parou subitamente. — Não! É uma ideia idiota! E, além disso, não há nenhum esconderijo nesta sala. A decisão de Ellen de permanecer na cozinha foi puro acaso. Venha. Vamos procurar o testamento da Mademoiselle Nick.

Não havia nenhum papel na sala de visitas. Fomos então para a biblioteca, um aposento sombrio, que dava para a estrada. Uma grande secretária antiga de nogueira chamava logo a atenção.

Levamos algum tempo para examinar a papelada toda que estava espalhada, em completa confusão, sobre a mesa. Havia de tudo: contas, recibos, convites, cartas de credores, correspondência de amigos.

— Vamos colocar estes papéis em ordem — disse Poirot severamente.

Ele cumpriu a palavra: meia hora depois, admirava o trabalho feito, com uma expressão de orgulho. Estava tudo separado por assunto, em pilhas, como num arquivo.

— Agora sim. Pelo menos há uma vantagem: para arrumar assim, tivemos de examinar tudo com tanto cuidado que não creio que possa ter escapado nada de interesse.

— Tem razão. Mas, também, não havia muito que achar aqui.

— Com exceção disto — disse Poirot, jogando-me uma carta.

Estava escrita numa letra grande e espalhada quase ilegível:

Querida,
A festa foi maravilhosa! Sinto-me como um verme hoje. Você fez bem em não tomar aquele negócio — nunca tome, querida. É terrivelmente difícil desistir depois. Vou escrever ao meu amigo para trazer mais assim que puder. Esta vida é um inferno!

Sua,
Freddie.

— Datada de fevereiro último — murmurou Poirot pensativo.

— Ela é viciada em drogas. Constatei os sintomas assim que a vi.

— É mesmo? Nem me passou pela cabeça.

— É óbvio. Basta olhar para os olhos dela. E há também a instabilidade emocional: ora irritada, tensa; ora inerte, sem vida.

— Drogas podem afetar a noção de moral?

— Inevitavelmente. Mas a Madame Rice não é uma viciada. Ainda está no início.

— E Nick Buckley?

— Não vi sinais nela. Ela pode ter experimentado em uma festa ou outra, mas só isso.

— Ainda bem.

De repente lembrei que Nick tinha dito que Freddie nem sempre era a mesma. Poirot bateu com os dedos na carta.

— É a drogas que ela se refere, sem dúvida alguma. Bem, já terminamos aqui. Vamos para o quarto da Mademoiselle.

Havia uma secretária também no quarto da jovem, mas muito pouca coisa estava guardada lá. Do testamento, nem sinal. Encontramos o registro do carro e uma garantia de dividendos datada de um mês atrás. E foi só.

Poirot suspirou exasperado.

— Essas jovens de hoje em dia não têm a educação adequada. Não lhes ensinam ordem e método. Ela é encantadora, a Mademoiselle Nick, mas é uma cabeça de vento. Decididamente uma cabeça de vento.

Ele examinava agora as gavetas de uma cômoda.

— Escute, Poirot — disse-lhe eu, encabulado —, são roupas de baixo.

Ele parou surpreso.

— E por que não, meu caro?

— Você não acha... quer dizer, nós não podemos...

— Decididamente, meu pobre Hastings, você pertence à era vitoriana! A própria Mademoiselle Nick acharia isso se estivesse aqui. Provavelmente ela lhe diria que tem uma mente suja! As moças de hoje em dia não têm vergonha de suas roupas de baixo. A combinação, a calcinha não são mais segredo vergonhoso. Todos os dias na praia, você vê muito mais que isso a poucos metros de você. E por que não?

— Não vejo nenhuma necessidade de fazer o que está fazendo.

— Escute, meu amigo. Vê-se que ela não tranca nada. Se quisesse esconder alguma coisa, onde esconderia? Debaixo das meias e anáguas. Ah! Que vejo aqui? — exclamou Poirot.

Tinha na mão um maço de cartas amarradas com uma fita rosa desbotada.

— As cartas de amor do Monsieur Michael Seton, se não me engano.

Calmamente, ele desamarrou a fita e começou a abrir as cartas.

— Poirot! — exclamei. — Você não pode fazer isso! É jogo sujo.

— Não estou jogando, *mon ami*. — Sua voz de repente soou áspera e severa. — Estou caçando um criminoso.

— Eu sei. Mas cartas particulares?

— Podem não conter nada de novo. Por outro lado, pode ser que esclareçam muita coisa, meu amigo. Preciso examinar todas as probabilidades. Venha. É melhor que você as leia junto comigo. Duas pessoas veem melhor que uma. Console-se com o pensamento de que a fiel Ellen deve sabê-las de cor.

Pessoalmente não me agradava, mas não podia deixar de concordar com Poirot. Na posição em que estava, ele não se podia dar o luxo de melindres inúteis. Consolei-me com as últimas palavras de Nick: "Examine tudo que quiser."

As datas nas cartas começavam no último inverno, dia de ano-novo.

Querida,
Chegou o ano-novo e estou cheio de boas intenções. É maravilhoso demais para ser verdade: você me ama. Você mudou a minha vida. Acho que nós dois percebemos isso no primeiro momento em que nos vimos. Feliz ano-novo, minha menina querida.

Seu para sempre,
Michael.

8 de fevereiro
Amor querido,
Como gostaria de vê-la mais vezes. É horrível, não é? Detesto todo esse segredo, mas já lhe expliquei como são as coisas. Já sei como você odeia mentiras e subterfúgios. Eu também. Mas, francamente, dizer a verdade agora estragaria todos os nossos planos. Tio Matthew não aceita casamentos "prematuros" e diz que eles podem arruinar a carreira de um homem. Como se você pudesse arruinar alguma coisa, meu anjo querido.

Alegre-se, querida, tudo vai acabar bem.

Seu,
Michael.

2 de março
Não deveria escrever-lhe dois dias seguidos, eu sei. Mas não resisti. Quando acordei ontem, pensei em você. Voei sobre Scarborough. Bendito, bendito, bendito Scarborough — o lugar mais lindo do mundo. Querida, você não faz ideia de quanto a amo.

Seu,
Michael.

18 de abril
Meu amor,
Está tudo arranjado. Definitivamente. Se eu for bem-sucedido — e eu vou ser — serei firme com tio Matthew e, se ele não gostar, pior para ele. Você é adorável por se interessar nas minhas longas descrições técnicas a respeito do Albatroz. Anseio por voar nele. Só falta um dia! Pelo amor de Deus, não se preocupe comigo. A coisa não é tão arriscada como parece. E eu simplesmente me recuso a morrer, agora que sei que você me ama. Tudo se arranjará, meu bem.

Confie no seu
Michael.

20 de abril
Anjo meu,
Tudo que você diz é verdade e guardarei sempre aquela carta. Não sou suficientemente bom para você. Você é única. Eu adoro você.

Seu,
Michael.

A última carta não tinha data.

Amor querido,
Parto amanhã. Sinto-me tremendamente entusiasmado e excitado e absolutamente seguro do sucesso. Meu Albatroz está todo ajustado e regulado. Sei que não me deixará na mão.

Alegre-se, querida, e não se preocupe. Existe um risco, é claro. Mas a vida é toda feita de riscos. A propósito, alguém me aconselhou que fizesse um testamento antes de sair (otimista, não é?), e eu então fiz, numa folha de papel, e enviei-o para o velho Whitfield. Não tive tempo de ir lá. Alguém também me contou que um homem fez um testamento em quatro palavras: "tudo para minha mãe", e foi tido como legal. Meu testamento foi assim. Lembrei-me de seu verdadeiro nome, Magdala, o que me exigiu grande esforço mental. Dois amigos serviram de testemunhas.

Não leve tudo isso muito a sério, sim? Voltarei são e salvo, vai ver só. Mandarei telegramas da Índia, da Austrália, de onde estiver. Coragem! Vai dar certo, viu?

Boa noite e Deus a abençoe,
Michael.

Poirot juntou as cartas outra vez.

—Viu, Hastings? Tinha de lê-las para certificar-me. É como lhe disse.

—Você poderia descobrir de outra maneira.

— Não, *mon cher*, não poderia. Tinha de ser assim. Temos provas valiosas aqui.

— Como assim?

— Sabemos agora que o fato de haver um testamento de Michael Seton, fazendo da Mademoiselle Nick sua herdeira, é verdadeiro. E ainda, que está registrado nestas cartas. Qualquer pessoa que as ler saberá disso. E descuidadamente guardadas como estão, qualquer pessoa poderá lê-las.

— Ellen?

— Ellen, com certeza. Vamos fazer uma pequena experiência com ela antes de sair.

— Não há sinal do testamento.

— Não. E é curioso. Provavelmente estará em cima de uma estante ou dentro de um jarro chinês. Precisamos fazer com que a Mademoiselle se lembre. De qualquer maneira, não há mais nada para encontrar aqui.

Ellen tirava o pó no saguão quando saímos.

Poirot desejou-lhe um bom-dia ao passar. Voltou-se já na porta, para perguntar:

— A senhora sabia, suponho, que a srta. Buckley estava noiva de Michael Seton?

Ela nos fitou surpreendida.

— O quê? Aquele de quem todos os jornais estão falando?

— Ele mesmo.

— Ora, vejam só! Nunca pensaria uma coisa dessas! Noivo da srta. Nick!

Quando saímos, observei:

— Completa e absoluta surpresa, demonstrada com muita convicção.

— É. Pareceu até genuína.

— Talvez tenha sido.

— E aquele pacote de cartas lá no meio da roupa de baixo, há meses já? Não, *mon ami*, não acredito.

"Está bem", pensei com meus botões, mas nem todos somos Hercule Poirot. Não andamos fuçando o que não é da nossa conta.

Mas não disse nada.

— Essa Ellen é um enigma — disse Poirot. — Não gosto disso. Há algo que ainda não compreendo.

14
O testamento extraviado

Fomos direto à clínica.
Nick mostrou surpresa ao ver-nos.
— Sim, Mademoiselle — disse Poirot. — Sou como aquele boneco dentro da caixa: apareço de repente. Para começar, digo-lhe que pus em ordem seus papéis. Está tudo arrumado.
— É, creio que já era tempo — respondeu Nick Buckley com um sorriso involuntário. — O senhor é assim tão metódico, Monsieur Poirot?
— Pergunte aqui ao Hastings.
A jovem voltou os olhos inquisitivos para mim.
Contei-lhe algumas das peculiaridades de Poirot. As torradas têm de ser quadradas; os ovos estalados, do mesmo tamanho. Falei-lhe também das objeções que Poirot fazia ao golfe como um jogo sem forma definida, em que se acerta por acaso. O único elemento que ainda redime o golfe é aquela caixa de areia úmida em que se limpam as bolas antes de cada partida. Terminei contando o caso famoso que Poirot solucionou graças a seu hábito de endireitar os objetos sobre a lareira.
Poirot escutava sorrindo.
— Ele é um bom contador de histórias — disse ele quando acabei. — Mas grande parte é verdade. Imagine, Mademoiselle, que estou sempre tentando convencê-lo de que é melhor repartir o cabelo ao meio do que para o lado. Observe bem que fisionomia torta e assimétrica esse repartido do lado lhe dá.

— Então o senhor não deve aprovar meu cabelo repartido de lado, mas deve gostar do de Freddie, que é dividido ao meio.

— Ah! Então foi por isso que Poirot a admirou tanto na outra noite — disse eu maliciosamente.

— Basta! — interpôs Poirot. — Estamos aqui para tratar de um assunto sério: seu testamento, Mademoiselle, não o encontrei.

— Tem tanta importância assim? — perguntou ela franzindo a testa. — Afinal de contas, não estou morta, e testamentos só são importantes depois da morte, não é?

— É verdade. Mesmo assim, esse testamento me interessa muito. Tenho várias hipóteses a respeito. Pense, Mademoiselle. Onde pode tê-lo deixado? Quando o viu pela última vez?

— Não creio que o tenha posto em nenhum lugar especial — disse Nick. — Não tenho lugar certo para as coisas. Provavelmente enfiei-o numa gaveta.

— Não o pôs, por acaso, no nicho secreto?

— Nicho secreto?

— Sua empregada Ellen diz que existe um painel secreto na sala de visitas, ou talvez na biblioteca.

— Bobagens! Nunca ouvi falar em painéis secretos. Ellen disse isso?

— Disse sim. Parece que ela já trabalhou na Casa do Penhasco quando era menina, e a cozinheira mostrou a ela.

— É a primeira vez que ouço falar em tal coisa. Vovô devia saber da existência desse nicho, mas, se sabia, nunca me contou nada. E tenho certeza de que me contaria. Monsieur Poirot, o senhor está certo de que Ellen não está inventando isso?

— Não, Mademoiselle, não posso assegurar. Parece-me haver algo de estranho em Ellen.

— Oh! Não! Eu não a consideraria estranha. William é meio bronco, e a criança é um animalzinho malvado, mas Ellen é cem por cento. A respeitabilidade em pessoa.

— A senhorita deu-lhe permissão para assistir aos fogos ontem à noite?

— Claro! Eles sempre assistem e terminam o serviço depois.

— Mas ela não saiu.
— Saiu, sim.
— Como sabe, Mademoiselle?
— Bem, creio que não sei ao certo. Disse-lhe que fosse, e ela agradeceu, daí concluí que ela tivesse ido.
— Ao contrário: ela ficou em casa.
— Mas... que estranho!
— Acha isso estranho?
— Acho, sim — respondeu a jovem. — Ela nunca fez isso antes. E disse por quê?
— Ellen não me deu a razão verdadeira.
Nick olhou para ele, curiosa.
— É tão importante?
Poirot abanou as mãos.
— Não consigo responder a essa pergunta, Mademoiselle. É esquisito. É só o que posso dizer.
— A história do painel — murmurou Nick pensativa — parece-me extremamente fora de propósito e pouco convincente. Ela lhe mostrou onde era?
— Não creio que ele exista.
— Ela disse que não se lembrava — continuou Nick.
— É. Foi o que ela disse.
— Ellen deve estar ficando maluca, pobrezinha.
— Ela sabe contar histórias! Contou-nos também que a Casa do Penhasco não é uma casa boa de se viver.
Nick estremeceu.
— Talvez ela esteja certa — disse a jovem, devagar. — Às vezes, até eu sinto isso. Há uma atmosfera sinistra naquela casa...
Seus olhos tornaram-se mais escuros e maiores. Um olhar infeliz. Poirot imediatamente mudou de assunto.
— Esquecemos nosso objetivo principal: o testamento. O último testamento e as últimas ordens de Magdala Buckley.
— Foi o que escrevi — disse Nick com certo orgulho. — Lembro-me de ter escrito isso e de ter mandado pagar as dívidas e despesas testamentárias. Li isso num livro há algum tempo.

— Não empregou o modelo usual de testamento, então?

— Não. Não havia tempo. Eu já ia para a casa de saúde e, além disso, o sr. Croft disse que esses modelos não eram nada confiáveis. Era melhor fazer um testamento simples e evitar a burocracia legal.

— Monsieur Croft estava presente?

— Sim, estava. Foi ele que me recomendou fazer o testamento. Eu mesma nunca tinha pensado nisso. O sr. Croft afirmou que, se eu morresse sem fazer testamento, a Coroa levaria grande parte dos bens, e isso seria lamentável.

— Muito prestativo, o bom Monsieur Croft.

— Foi mesmo! — disse Nick com ênfase. — Ele conseguiu que Ellen e o marido servissem de testemunhas. — Ela parou e exclamou de repente: — Mas é claro! Fiz vocês perderem tempo procurando na Casa do Penhasco, pois o testamento está com Charles, meu primo, Charles Vyse.

— Ah! Então essa é a explicação!

— O sr. Croft me disse que um advogado seria a melhor pessoa para guardar o documento.

— Muito correto o sr. Croft.

— Os homens de vez em quando são úteis. Um advogado ou o banco, foi o que ele disse. Eu achei que Charles seria melhor. Então metemos o testamento num envelope e o enviamos imediatamente.

Nick se recostou nos travesseiros.

— Desculpe-me por ter sido tão idiota, mas afinal tudo se resolveu bem. Charles tem o testamento sob sua guarda e, se o senhor quiser dar uma olhada, é só pedir a ele.

— Não sem uma autorização sua.

— Que bobagem!

— Bobagem, não. Prudência.

— Eu acho bobagem. — Ela apanhou um pedaço de papel de um bloquinho que estava ao lado da cama. — Que devo dizer? "Deixe que o caçador veja a caça"?

— Como? — perguntou Poirot surpreso.

Ri de sua expressão um tanto perplexa.

Ele ditou, e Nick, obedientemente, escreveu.
— Muito obrigado, Mademoiselle.
— Desculpe por ter lhe dado tanto trabalho, mas eu tinha esquecido completamente. É impressionante como se podem esquecer as coisas assim de repente, todas de uma vez.
— Com ordem e método não se esquece nada.
—Vou procurar um curso para aprender a ter ordem — disse Nick. — O senhor está me deixando com complexo de inferioridade.
— Seria impossível! *Au revoir*, Mademoiselle. — Ele olhou em volta. — Suas flores são lindas.
— Não é mesmo? Freddie mandou os cravos, George, as rosas, e os lírios são de Jim Lazarus. E olhe aqui...
Ela levantou o papel que envolvia uma grande cesta de uvas de estufa.
A expressão de Poirot mudou. Avançou rapidamente para ela.
— A senhorita não comeu nenhuma, espero.
— Não. Ainda não.
— Então não coma. Não deve comer absolutamente nada que vier de fora. Nada, compreende?
— Oh!
Ela olhou para ele, empalidecendo visivelmente.
— Compreendo. O senhor acha que ainda não acabou. O senhor acha que ainda estão tentando? — murmurou ela.
Ele lhe tomou a mão.
— Não pense nisso. Aqui está a salvo. Porém, lembre-se: nada que vier de fora.
Levei na mente aquela face pálida e amedrontada recostada no travesseiro, quando saímos do quarto.
Poirot consultou o relógio.
— Ótimo. Temos o tempo exato para apanhar o Monsieur Vyse no escritório antes que ele saia para o almoço.
Logo que chegamos, sem demora, fomos introduzidos até a sala do sr. Charles Vyse.
O jovem advogado ergueu-se para cumprimentar-nos, formal e impassível como sempre.

— Bom dia, Monsieur Poirot. Que posso fazer pelo senhor?

Sem muitos preâmbulos, Poirot apresentou-lhe a carta de Nick. Ele a leu e nos olhou, perplexo.

— Perdoem-me os senhores, mas não entendo nada.

— Mademoiselle Buckley não foi bastante clara no que escreveu?

— Nesta carta — disse ele, batendo no papel com a ponta dos dedos — ela me pede que lhe mostre um testamento feito por ela e que está sob minha guarda desde fevereiro último.

— Sim, Monsieur.

— Que eu saiba, minha prima nunca fez testamento. Eu, pelo menos, nunca fiz um para ela.

— Parece que ela escreveu esse testamento numa folha de papel e o enviou para o senhor pelo correio.

O advogado sacudiu a cabeça.

— Nesse caso, a única coisa que lhe posso adiantar é que nunca o recebi.

— Mas, Monsieur Vyse...

— Monsieur Poirot, eu lhe asseguro que nunca recebi nada parecido.

Houve uma pausa. Poirot levantou-se.

— Então, Monsieur Vyse, não temos mais nada para dizer. Deve haver um engano.

— Mas claro que deve haver algum mal-entendido.

Ele se levantou também.

— Até a vista, Monsieur Vyse.

— Até a vista, Monsieur Poirot.

— E pronto! — observei quando atingimos a rua.

— Precisamente.

— Estaria mentindo?

— Impossível saber. Ele tem uma fisionomia impenetrável, e uma pose de quem engoliu um cabo de vassoura. Um detalhe é óbvio: ele não se moverá um centímetro da posição em que se colocou. Nunca recebeu o testamento. E ponto final.

— Naturalmente Nick deve ter um recibo desse envio.

—Aquela menina nunca se preocuparia com uma coisa dessas, Hastings. Ela pôs no correio e se livrou de um encargo. *Voilà*. Além disso, foi no dia em que ela se internou para uma intervenção cirúrgica. Ia extrair o apêndice e devia estar nervosa.

— O que faremos agora?

—Ora, Hastings. Vamos visitar Monsieur Croft. Veremos do que ele ainda se lembra. Pareceu-me ser tudo obra dele.

— Ele não tirou proveito nenhum.

— Não. Não consigo ver nada que lhe trouxesse benefício. O sr. Croft surge aí apenas como o intrometido, aquele que quer resolver todos os problemas dos vizinhos.

A atitude, sem dúvida, era típica do sr. Croft. Ele me parecia uma espécie de sr. Sabe-Tudo, bondoso mas que irritava todo mundo.

Nós o encontramos em uma camisa de mangas, na cozinha, às voltas com uma panela de onde saía um cheiro apetitoso que preenchia todo o chalé.

Ele abandonou a cozinha com prazer, e via-se que estava realmente ansioso para falar sobre o crime.

— Só um momento — disse ele. — Vamos subir. A mãe vai querer saber de tudo. Ela nunca nos perdoaria se ficássemos aqui embaixo. — Ele soltou aquela espécie de grito modulado. — Milly, dois amigos vão subir!

A sra. Croft nos recebeu calorosamente e perguntou logo por Nick. Eu simpatizava muito mais com ela do que com o marido.

— Coitadinha! — disse ela. — Está numa clínica? Em choque, eu imagino. Não é para menos. Uma calamidade, Monsieur Poirot, uma calamidade. Uma jovem inocente como aquela, assassinada. Não se pode conceber. Não se pode conceber tal coisa, mesmo onde não existam leis. E acontecer aqui, no coração da Inglaterra. Não consegui dormir.

— Fiquei preocupado porque saí e deixei minha velha sozinha — disse o marido, que tinha posto o paletó e se juntado a nós. — Não gosto nem de pensar que você estava aqui sozinha ontem à noite. A ideia me dá arrepios.

—Você não vai me deixar só outra vez. Pelo menos de noite. Começo a pensar que preferiria ir embora daqui assim que pudéssemos. Isto aqui nunca mais será a mesma coisa. Aposto que nem a pobre Nick Buckley gostaria de dormir naquela casa outra vez.

Foi difícil trazer à baila o objetivo de nossa visita. O casal Croft estava ansioso para saber todas as minúcias. Os pais da jovem assassinada viriam? Quando seria o enterro? Haveria inquérito? Qual era a opinião da polícia? Havia alguma pista? Era verdade que tinham prendido um homem em Plymouth?

Depois de respondermos a todas essas perguntas, eles insistiram em que almoçássemos com eles. Poirot nos salvou, inventando que tínhamos já um compromisso com o chefe de polícia.

Quando se fez uma pausa, Poirot imediatamente interpôs a pergunta que era a única finalidade da visita.

— Mas claro que me lembro — disse o sr. Croft. Puxou por duas vezes, para baixo e para cima, a corda da veneziana, com a testa franzida, distraidamente. — Lembro-me de todos os detalhes. Foi pouco depois que chegamos. Os médicos disseram que era apendicite.

— E provavelmente não era — interrompeu a sra. Croft. — Esses médicos adoram cortar as pessoas. Não era nada que exigisse uma operação. Ela teve uma indigestão com algumas pequenas complicações. Os médicos tiraram raios X e lhe disseram que tinham de operar. E lá se foi a pobre Nick para uma dessas horríveis casas de saúde.

— Perguntei a ela, mais como uma piada, se tinha feito testamento — disse o sr. Croft.

— Sim?

— E ela fez um, sem mais nem menos. Falou em apanhar um modelo oficial no correio, mas eu a fiz desistir disso. Um amigo meu uma vez me disse que esses modelos podem trazer complicações. Enfim, o primo dela é advogado, e ele faria para ela um testamento na forma adequada quando fosse necessário, e não seria necessário naquela ocasião, eu tinha certeza. Tudo correu bem. Foi só uma precaução.

— Quem foram as testemunhas?

— Ellen, a empregada, e o marido.

— E depois? Que aconteceu?

— Nós enviamos o documento pelo correio para Vyse, o advogado.

— Está certo de que foi enviado?

— Meu caro Monsieur Poirot, eu mesmo o coloquei na caixa do correio perto do nosso portão.

— Então, se o Monsieur Vyse assegura que nunca o recebeu...

O sr. Croft olhou para Poirot.

— O senhor quer dizer que se extraviou no correio? É impossível.

— De qualquer maneira, o senhor tem certeza de que o pôs no correio?

— Absoluta! — afirmou o sr. Croft enfático. — Posso jurar sobre a Bíblia quando for necessário.

— Felizmente — disse Poirot — não tem importância, porque a Mademoiselle não morrerá tão cedo.

Saímos.

— *Et voilà!* — disse Poirot, quando não nos podiam ouvir. — Quem está mentindo? Monsieur Croft ou o Monsieur Vyse? Devo confessar que não vejo razão alguma para que o Monsieur Croft nos mentisse. Não vejo vantagem para ele no extravio do testamento, sobretudo porque ele auxiliou na sua feitura. Suas declarações me parecem coerentes e coincidem exatamente com o que nos disse Mademoiselle Nick. Mas mesmo assim...

— Sim?

— Mesmo assim fiquei muito satisfeito em ver Monsieur Croft cozinhando quando chegamos. Ele deixou uma ótima impressão digital gordurosa de um polegar na ponta do jornal que forrava a mesa da cozinha. Essa ponta, eu a rasguei e trouxe comigo. Vou enviá-la ao nosso bom amigo Japp, da Scotland Yard. Pode ser que ele saiba algo a respeito.

— Como assim?

— Sabe, Hastings, não consigo afastar uma desconfiança de que o nosso Monsieur Croft é um pouco bom demais para ser verdadeiro. E agora — acrescentou ele —, vamos almoçar. Estou morto de fome.

15
O estranho comportamento de Frederica

A mentira de Poirot, a respeito do chefe de polícia, afinal não foi tão fora de propósito: ele nos telefonou logo depois do almoço.

O chefe era um homem alto, com porte militar e ainda bastante bonito. Tinha um grande respeito pelos feitos de Poirot, a quem parecia conhecer bem.

— Que sorte a nossa ter o senhor aqui num momento desses! — repetia ele a todo instante.

Seu maior medo era ter de chamar a Scotland Yard para auxiliá-lo. Desejava ardentemente resolver o caso e prender o criminoso sem a ajuda deles. Daí estar tão encantado com a presença de Poirot no local do crime.

Poirot parecia confiar totalmente nele.

— Que complicação dos diabos! — exclamou o coronel. — Nunca vi nada parecido. Pelo menos a moça está a salvo na clínica de repouso. Contudo, você não pode mantê-la para sempre lá!

— Essa é justamente a grande dificuldade, meu coronel. E só há um jeito de resolver o caso.

— E qual é?

— Precisamos apanhar o criminoso.

— Se suas suspeitas são verdadeiras, a coisa não é tão fácil assim.

— Pensa que não sei disso?

— Provas! Arranjar as provas vai ser o diabo — disse ele franzindo a testa. — Esses casos fora da rotina são sempre difíceis. Se ao menos pudéssemos encontrar a pistola...

— Muito provavelmente deve estar no fundo do mar; se o criminoso tiver tido o mínimo de inteligência.

— Ah! — disse o coronel Weston. — Muitas vezes eles não têm. Você ficaria horrorizado diante das bobagens que as pessoas fazem. Não falo de crimes de morte, pois não temos muitos por aqui, graças a Deus. Mas você ficaria surpreso diante das coisas sem sentido, das loucuras que as pessoas dizem e fazem na delegacia.

— Criminosos têm uma mentalidade diferente, creio eu.

— Talvez. Se Vyse for o nosso homem, teremos trabalho. Ele é cauteloso e um ótimo advogado. Não se entregará. A mulher... Bem, aí teremos mais esperança. Aposto dez contra um que ela tentará outra vez.

Ele se levantou:

— O inquérito é amanhã de manhã. O juiz que está encarregado do caso trabalhará conosco e não deixará transparecer muito. Queremos manter o maior sigilo possível.

Dirigia-se para a porta, quando, subitamente, voltou.

— E eu, que me ia esquecendo de um elemento que vai interessá-lo sobremaneira. Quero sua opinião sobre isso.

Sentando outra vez, tirou do bolso um pedaço de papel rasgado com algo escrito e o estendeu a Poirot.

— Meus policiais acharam isso quando revistavam o terreno. Não foi encontrado longe de onde todos assistiam ao espetáculo de fogos. Foi o único item de alguma importância que nos veio às mãos.

Poirot alisou o papel. A letra era grande e irregular:

Preciso de dinheiro agora. Se você não... o que acontecerá. Estou lhe avisando.

Poirot franziu a testa, sério. Ele leu e releu.

— Muito interessante. Posso ficar com o papel?

— Naturalmente. Não há marcas digitais. Veja se pode utilizá--lo. Ou mesmo entendê-lo.

O chefe Weston levantou-se outra vez.

— Agora preciso mesmo sair. O inquérito será amanhã, como lhe disse. A propósito, o senhor não será chamado como testemunha. Só o capitão Hastings. Não queremos que a imprensa saiba que o senhor está investigando o caso.

— Compreendo. E os pais da pobre moça?

— Vêm de Yorkshire hoje. Devem chegar por volta das 17h30. Coitados! Tenho muita pena deles. Vão levar o corpo depois de amanhã. — Balançou a cabeça. — Muito desagradável esse caso. Não estou gostando nem um pouco.

Depois que ele saiu, Poirot examinou mais detidamente o pedaço de papel.

— Você crê que seja uma pista importante?

Ele encolheu os ombros.

— Como posso saber? Há indícios de chantagem no que está escrito. Alguém do grupo deve ter sido pressionado por dinheiro, de maneira bastante desagradável. Claro que também pode ser alguém de fora.

Examinou a letra com uma lente de aumento.

— A você, esta letra parece familiar, Hastings?

— Lembra-me qualquer coisa, sim... Já sei! Aquela mensagem da sra. Rice!

— É verdade — ponderou Poirot. — Existem semelhanças. É curioso. Mesmo assim, não acredito que a Madame Rice tenha escrito isso. — Respondendo a uma batida na porta, meu amigo disse alto: — Entre, por favor!

Era o comandante Challenger.

— Só vim saber se avançaram nas investigações.

— Particularmente neste momento, sinto-me como se estivesse regredindo em vez de avançar.

— Isso é mau, mas não acredito, Monsieur Poirot. Só se ouve falar do senhor, de como resolve todos os casos. Dizem que o senhor nunca falhou.

— Não é verdade. Falhei uma vez na Bélgica, em 1893. Lembra-se, Hastings? Eu lhe contei depois: o caso da caixa de bombons.

— Lembro-me bem — respondi.

Sorri, porque na época em que ele me contou o caso, recomendou-me que, toda vez que a vaidade lhe subisse à cabeça, eu mencionasse a caixa de bombons. Menos de três minutos mais tarde, naquela ocasião, eu obedeci à sua recomendação, e ele ficou furioso.

— Isso aconteceu há tanto tempo — disse Challenger —, que nem conta. O senhor vai até o fim desse caso, não é?

— Quanto a isso, esteja tranquilo, palavra de Hercule Poirot. Sou como um cão que, uma vez farejada a pista, não desiste e vai até o fim.

— Ótimo. Tem alguma ideia nova?

— Suspeito de duas pessoas.

— É claro que não posso perguntar quem são.

— Nem eu diria! Poderia estar enganado.

— Meu álibi é satisfatório, creio — disse Challenger com uma piscadela.

Poirot sorriu com benevolência para a face bronzeada à sua frente.

— O senhor partiu de Devonport pouco depois das 20h30. Chegou aqui às 22h05, isto é, vinte minutos depois que o crime foi cometido. Porém, Devonport fica a pouco mais de trinta milhas daqui, e o senhor já fez o mesmo caminho em uma hora, pois a estrada é muito boa. Como vê, seu álibi não é tão perfeito assim.

— É incrível! Como...?

— O senhor compreende, comandante, investigo tudo e todos. Seu álibi, como já disse, não é bom. Contudo, existem outras coisas além de álibis. O senhor gostaria, penso eu, de casar-se com Mademoiselle Nick, não é?

O homem enrubesceu.

— Sempre quis casar-me com ela — respondeu numa voz abafada.

— Certamente. A Mademoiselle Nick porém estava noiva de outro homem. Aí está uma razão suficiente para matar o outro homem. Esse outro homem no entanto morre como um herói, o que torna desnecessário qualquer gesto mais drástico de sua parte.

— Ah! Então é verdade que Nick estava noiva de Michael Seton? Ouvi boatos a respeito hoje de manhã.

— É interessante como boatos logo se espalham. O senhor nem desconfiava?

— Sabia que Nick estava noiva de alguém. Ela mesma me disse há dois dias. Mas não poderia imaginar quem fosse.

— Era Michael Seton. Aqui entre nós, ele deixou para ela uma bela fortuna. Certamente, do seu ponto de vista não seria o momento de matar Mademoiselle Nick. Ela chora o amor perdido, mas o tempo apaga tudo. Ela é jovem e gosta muito do senhor.

Challenger ficou calado por certo tempo.

— Se fosse... — murmurou.

Uma batida na porta o interrompeu. Era Frederica Rice.

— Andei procurando por você — disse ela para Challenger.

— Disseram-me que o encontraria aqui. Você já foi buscar meu relógio de pulso?

— Ah, sim. Apanhei-o hoje de manhã.

O comandante tirou o relógio do bolso e entregou a ela. Era um relógio bastante incomum: redondo como uma bola, com uma correia de *moiré* preto. Lembrei-me de ter visto um igual no braço de Nick Buckley.

— Espero que agora ande direito — disse Challenger.

— É um aborrecimento. Esse relógio vive com defeito.

— Ele foi feito para beleza, Madame, e não para eficiência.

— Será que as duas coisas não podem vir juntas? — Ela olhou para nós três. — Estou interrompendo uma conferência?

— Absolutamente, Madame. Falávamos de boatos. Como se espalham com rapidez. Todos já sabem agora que Mademoiselle Nick estava noiva daquele bravo herói aviador que morreu.

— Então Nick estava noiva de Seton? — exclamou Frederica.

— Surpreende-se, Madame?

— Um pouco. Não sei por quê. No outono passado ele estava bastante entusiasmado com ela. Andavam juntos por toda a parte.

Mais tarde, depois do Natal, os dois esfriaram. Tanto quanto posso saber, mal se viam.

— Era segredo. Os dois souberam manter-se calados.

— Devia ser por causa de Sir Matthew. Ele era meio maluco.

— A senhora nem desconfiava e, no entanto, era tão íntima da Mademoiselle?

— Nick é fechada como o diabo, quando lhe convém — murmurou Frederica. — Agora entendo por que andava tão nervosa ultimamente. E eu devia ter adivinhado pelo que ela me disse no outro dia.

— Sua amiguinha é muito atraente, Madame.

— O velho Jim Lazarus era da mesma opinião há algum tempo — disse Challenger, com sua evidente falta de tato.

— Oh, Jim. — E ela encolheu os ombros. Mas creio que a observação a aborreceu.

Ela virou-se para Poirot.

— Diga-me, Monsieur Poirot, o senhor...?

Ela parou abruptamente. Seu corpo alto e esguio oscilou, e a face empalideceu mais ainda. Seus olhos estavam fixos no centro da mesa.

— A senhora não parece bem, Madame.

Empurrei uma cadeira para perto dela e ajudei-a a sentar-se. Ela sacudiu a cabeça murmurando:

— Estou bem, estou bem — curvou-se para a frente, o rosto entre as mãos. Todos a olhávamos sem jeito. Logo depois, ela sentou-se ereta. — Que absurdo! George, querido, não fique tão preocupado. Vamos falar de crimes. De algo emocionante. Quero saber se Monsieur Poirot já está no caminho certo.

— É muito cedo para saber — disse Poirot.

— Mas o senhor já tem uma ideia, não é?

— Talvez, mas preciso de muito mais provas.

— Ah! — Ela parecia insegura.

De repente a sra. Rice levantou-se.

— Estou com dor de cabeça. Acho que vou me deitar. Talvez amanhã me deixem ver Nick.

E saiu rapidamente. Challenger franziu a testa.

— Nunca se pode prever o que aquela mulher vai fazer. Nick podia gostar dela, mas não acredito na amizade dela por Nick. Com mulheres nunca se sabe: é querida pra cá, querida pra lá, mas no fundo estão se odiando. O senhor vai sair, Monsieur Poirot?

— perguntou o comandante, já que Poirot tinha se levantado e apanhado o chapéu do qual tirava cuidadosamente uma poeirinha imaginária.

— Sim, vou à cidade.

— Não tenho nada a fazer. Posso ir com o senhor?

— Claro. Será um prazer.

Saímos. Poirot pediu desculpas e voltou.

— Minha bengala — explicou ele quando voltou.

Challenger vacilou. De fato a bengala, com um cabo de ouro, era extremamente enfeitada.

A primeira parada foi numa casa de flores.

— Preciso enviar flores para a Mademoiselle Nick — disse ele.

A escolha foi difícil. Afinal Poirot se decidiu por uma cesta dourada toda enfeitada, que ele queria que enchessem de cravos cor de laranja. E ainda exigiu um grande laçarote azul. A vendedora lhe deu um cartão, onde ele escreveu: "Com os cumprimentos de Hercule Poirot."

— Mandei flores hoje de manhã — disse Challenger. — Talvez mande agora algumas frutas.

— Inútil! — exclamou Poirot.

— Por quê?

— Comestíveis não são permitidos.

— Quem disse?

— Eu. Impus a regra, expliquei à Mademoiselle Nick, e ela compreendeu.

— Deus do céu! — explodiu o comandante. Ele parecia bastante alarmado. Olhou para Poirot espantado. — Então é assim? O senhor ainda receia... um atentado?

16
Conversa com o sr. Whitfield

O inquérito foi curto e grosso: só o essencial. Houve identificação do corpo, depois eu declarei tê-lo encontrado no jardim. Seguiram-se as declarações do médico-legista. E o inquérito foi adiado em uma semana.

O crime de Saint Loo fez as manchetes de todos os jornais. Substituiu as notícias anteriores: "SETON AINDA NÃO FOI LOCALIZADO. DESTINO IGNORADO DO BRAVO HERÓI DO AR."

Agora que Seton estava morto e já lhe tinham sido prestadas as devidas homenagens, surgia uma nova sensação. O mistério de Saint Loo era um presente dos céus para os jornais, que, no mês de agosto, desesperam-se com a falta de notícias.

Depois do inquérito, tendo evitado cuidadosamente os repórteres, Poirot e eu tivemos uma conversa com o reverendo Giles Buckley e a esposa.

Os pais de Maggie formavam um casal encantador e sem nenhuma sofisticação. Não pareciam pertencer a este mundo. A sra. Buckley era uma mulher de personalidade, alta e loura, em quem era patente a procedência do norte do país. O marido era um homem miúdo, de cabelos grisalhos, com um jeito acanhado e simpático.

Os pobres coitados estavam inteiramente confusos diante da tragédia que os tinha atingido e que roubara a filha tão querida, "nossa Maggie", como a chamavam.

— Não consigo acreditar nem mesmo agora — disse o sr. Buckley. — Uma menina tão querida por todos, Monsieur Poirot.

Sossegada, só fazia o bem, sempre pensando nos outros. Quem poderia querer matá-la?

— Custou-me compreender o que dizia o telegrama — disse a sra. Buckley. — Pois tínhamos nos despedido dela na véspera.

— A morte sempre caminha com a vida — murmurou o marido.

— O coronel Weston tem sido muito atencioso — observou a sra. Buckley. — Assegurou-nos de que não serão poupados esforços para descobrir quem fez essa coisa horrível. Deve ser um louco. Não há outra explicação.

— Madame, não posso dizer-lhe o quanto sinto a sua perda e como admiro sua bravura.

— Sucumbir sob a dor e desanimar não nos trará Maggie de volta.

— Minha mulher é extraordinária — disse o clérigo. — Sua fé e sua coragem superam e muito as minhas. É tudo tão confuso, Monsieur Poirot.

— Eu sei, eu sei, Monsieur.

— O senhor é um grande detetive, Poirot? — indagou a sra. Buckley.

— É o que dizem, Madame.

— Eu sei. Mesmo na cidadezinha de interior onde vivemos, já ouvimos falar do senhor. E o senhor vai descobrir a verdade, não é?

— Não descansarei enquanto não o fizer, Madame.

— Tudo lhe será revelado, Monsieur Poirot. O mal não permanece impune.

— O mal não permanece impune, Monsieur, mas às vezes o castigo passa despercebido.

— Que quer dizer?

Poirot apenas sacudiu a cabeça.

— Pobre Nick — disse a sra. Buckley. — Sinto mais ainda por causa dela. Enviou-me uma carta patética em que se dizia culpada pela morte de Maggie, por tê-la chamado para cá.

— Isso é mórbido — disse o sr. Buckley.

— Talvez, mas imagino como ela se sente. Gostaria de vê-la. É incrível que não permitam que nem a família a visite.

— Médicos e enfermeiros são muito rígidos em suas normas — disse Poirot evasivo. — Eles fazem as regras, e ninguém pode mudá-las. Sem dúvida receiam as consequências da emoção natural que a srta. Nick sentiria ao vê-los.

—Talvez — respondeu a sra. Buckley hesitante. — Não gosto de casas de saúde. Nick estaria muito mais segura se a deixassem ir-se embora deste lugar comigo.

— É possível, mas creio que eles não concordariam. Faz muito tempo que não vê a Mademoiselle Buckley?

— Não a vejo desde o outono passado. Estávamos em Scarborough. Maggie passou um dia com ela. Depois Nick veio e passou a noite conosco. Ela é uma boa menina, embora seus amigos não me agradem muito. A vida que ela leva não é bem sua culpa: nunca teve orientação de nenhuma espécie.

— É uma casa estranha, essa Casa do Penhasco.

— Não gosto dela — disse a sra. Buckley. — Não gostei nunca. Há algo de sinistro naquela casa, sempre tive aversão ao velho Sir Nicholas: ele me dava arrepios.

— Creio que não era uma boa alma, porém possuía um charme todo especial — continuou o marido.

— Pois eu nunca senti charme nenhum. O mal se aninha naquela casa. Desejaria nunca ter permitido a vinda de nossa Maggie.

— Desejos, desejos! — murmurou o sr. Buckley, sacudindo a cabeça.

— Não desejo importuná-los mais. Só vim expressar minhas condolências.

— O senhor tem sido muito gentil, Monsieur Poirot, e saiba que lhe ficamos muito gratos por tudo.

— Quando voltam para Yorkshire?

— Amanhã. Uma triste viagem. Adeus, Monsieur Poirot, e ainda uma vez, muito obrigado.

— Que gente simples e simpática! — exclamei quando saíram. Poirot concordou.

— Faz doer o coração, não é, *mon ami*? Uma tragédia tão inútil, tão sem propósito. Essa jovem assassinada... Eu me recrimino amargamente. Eu, Hercule Poirot, em pessoa, estava lá e não impedi o crime.

— Ninguém poderia evitar o crime, Poirot.

— Você fala sem refletir, Hastings. É claro que um detetive comum não poderia impedir o crime, mas o que adianta então ser Hercule Poirot, com um cérebro superior, se não posso fazer mais do que um detetive comum?

— Bem, se você coloca os fatos assim...

— Mas claro! Estou arrasado, abatido, completamente humilhado!

Refleti comigo mesmo que a humilhação de Poirot tinha muito em comum com vaidade, mas prudentemente guardei silêncio a respeito.

— E agora — disse ele —, para Londres!

— Londres?

— Sim. Vamos pegar o trem das duas sem ter de nos apressar demais. Aqui está tudo em paz. Mademoiselle está a salvo na clínica. Ninguém pode fazer-lhe mal. Creio que os cães de guarda podem ter uma folga. Preciso de duas ou três informações de Londres.

Nossa primeira providência em Londres foi entrar em contato com os procuradores do desaparecido capitão Seton, os srs. Pargiter e Whitfield.

Poirot tinha marcado um horário com antecedência e, embora tivéssemos chegado um pouco depois das seis, fomos logo conduzidos até o sr. Whitfield, que era o chefe da firma.

Ele era muito cortês e causava um certo impacto. Tinha diante dele, sobre a mesa, uma carta do chefe de polícia, e outra de uma alta autoridade da Scotland Yard.

— Seu pedido é bastante fora do comum e bem irregular, Monsieur... hã... Poirot — disse ele, enquanto limpava os óculos.

— Bastante, Monsieur Whitfield. Considere, porém, que assassinatos são também irregulares e, graças a Deus, bastante fora do comum.

— É verdade. É verdade. Mas, também, relacionar esse crime e a petição de meu cliente desaparecido parece um pouco demais, não acha?

— Acho que não.

— Ah! O senhor acha que não! Bem, diante das circunstâncias e considerando que Sir Henry me pede enfaticamente que lhe dê todo o auxílio necessário, estou às suas ordens.

— O senhor era o consultor legal do capitão Seton?

— De toda a família Seton, meu caro. São clientes de nossa firma há pelo menos cem anos.

— Perfeitamente. Sir Matthew Seton fez um testamento?

— Nós o fizemos para ele.

— E como ele distribuiu sua fortuna?

— Houve vários legados. Um, por exemplo, foi para o Museu de História Natural. Mas o grosso de sua enorme, devo dizer imensa, fortuna ele deixou para o capitão Michael Seton. Ele não tinha outros parentes.

— A fortuna era imensa, diz o senhor?

— Sir Matthew era o segundo homem mais rico da Inglaterra — retorquiu pomposamente o sr. Whitfield.

— Ele tinha opiniões bastante peculiares, não é?

O sr. Whitfield encarou Poirot severamente.

— Um milionário, Monsieur Poirot, pode ser tão excêntrico quanto queira. É quase uma obrigação.

Poirot recebeu a repreensão humildemente e fez outra pergunta.

— Sua morte foi repentina?

— Ninguém esperava. Sir Matthew era muito saudável, porém desenvolveu um tumor interno de que não se suspeitava e que atingiu um órgão vital. Foi necessária uma intervenção. A operação foi um sucesso, mas Sir Matthew morreu.

— E sua fortuna passou para o capitão Seton.

— Exatamente.

— O capitão Seton fez um testamento antes de partir, pelo que sei.

— É, pode-se chamar aquele documento de testamento — respondeu o sr. Whitfield obviamente contrariado.

— É legal?

— É perfeitamente legal. A intenção do testador é clara, e há testemunhas adequadas. Não há dúvidas, é legal.

— O senhor não aprova esse testamento?

— Meu caro senhor, se eu aprovasse, para que serviria esta firma?

Eu já tinha pensado nisso uma vez, quando tive de fazer um testamento simples. Fiquei pasmo com o palavrório e com a quantidade de papéis que saíram do escritório de meu advogado.

— A verdade é que naquela época o capitão Seton tinha pouco para legar. Dependia da mesada que recebia do tio, então achou que qualquer coisa serviria.

"E pensou bem", disse eu com meus botões.

— E quais são os termos desse testamento?

— Ele deixa tudo que possuir no momento de sua morte para sua noiva, a srta. Magdala Buckley. Eu sou o executor.

— Então a srta. Buckley herda tudo!

— Mas claro que a srta. Buckley herda tudo!

— E se a srta. Buckley por acaso houvesse morrido na segunda-feira passada?

— Como o capitão Seton morreu antes dela, o dinheiro irá para quem ela nomear seu herdeiro. Se não houver um testamento, o parente mais próximo herdará. — E o sr. Whitfield acrescentou, não sem um certo prazer: — Naturalmente os impostos seriam altíssimos. Altíssimos! Imagine: se ela também morresse, seriam três mortes, uma logo depois da outra.

— Mas sempre restaria alguma coisa — murmurou Poirot timidamente.

— Meu caro senhor, como já lhe disse, Sir Matthew era a segunda maior fortuna da Inglaterra.

Poirot levantou-se.

— Muito agradecido, sr. Whitfield, pelas informações valiosas que nos forneceu.

— De nada, de nada. Devo entrar em contato com a srta. Buckley muito em breve. Aliás, creio que a carta já seguiu. Gostaria de ser útil a ela em tudo que me fosse possível.

— Ela é jovem demais, e um bom advogado poderia ser-lhe realmente útil.

—Aparecerão caçadores de dotes com toda a certeza — disse o sr. Whitfield sacudindo a cabeça.

— Não há dúvida — concordou Poirot. — Tenha um bom dia, Monsieur.

— Adeus, Monsieur Poirot. Alegro-me de ter podido ajudar. Seu nome já me era... hã... conhecido.

Ele disse isso como uma gentileza, com ar de quem faz uma grande concessão.

— É exatamente como você julgava, Poirot — disse eu quando já estávamos na rua.

— *Mon ami*, tudo é sempre como eu penso. Não poderia acontecer de outra maneira. Vamos agora ao restaurante Cheshire Cheese, onde Japp nos espera para jantar.

Encontramos o inspetor Japp no lugar marcado. Ele fez uma acolhida muito carinhosa a Poirot.

— Há quanto tempo não o vejo, Monsieur Poirot! Pensei até que estivesse entregue ao cultivo de abóboras, perdido no interior do seu país.

— Eu bem que tentei, Japp. Bem que tentei... Mas mesmo quando você se dedica à plantação de abóboras, não se pode escapar de um crime.

Ele suspirou. Eu sabia no que pensava: naquele caso do parque Ferneley. Como me arrependi de não estar com ele na ocasião!

— E o senhor, capitão Hastings, como vai?

— Muito bem, obrigado.

— Não me diga que há novos crimes — continuou Japp maliciosamente.

— É como diz: novos crimes.

— Não fique tão deprimido, companheiro. Mesmo que o caminho não lhe pareça tão fácil, não desanime. O senhor não pode esperar, a esta altura da vida, ter o mesmo sucesso de outrora. Infelizmente todos envelhecemos. Temos de dar oportunidade aos mais jovens.

— Mas é sempre o cachorro velho que se lembra dos truques que aprendeu — murmurou Poirot. — Ele é astuto e nunca abandona a pista que farejou.

— Ora, sr. Poirot! Falamos de gente, não de cachorros.

— E existe tanta diferença assim?

— Bem, depende de seu ponto de vista. O senhor é incrível, Poirot! Não é mesmo, capitão Hastings? Sempre foi. Seu aspecto não se alterou em nada: talvez um pouco menos de cabelo, porém no rosto nada mudou; continua tão peludo e cheio como antes.

— Hein? Que quer dizer com isso? — inquiriu Poirot desconfiado.

— Ele o está cumprimentando pela exuberância de seus bigodes.

— É. São mesmo luxuriantes... — Poirot começou a acariciar os próprios bigodes com volúpia.

Japp desandou numa gargalhada.

Logo depois, passou a tratar de negócios:

— Já fiz o que me pediu. As impressões digitais que me enviou...

— Sim, sim? — indagou Poirot ansioso.

— Nada. Quem quer que seja esse homem, por nossas mãos ele ainda não passou. Por outro lado, telegrafei para Melbourne, e não existe ninguém lá cuja descrição ou cujo nome corresponda com o que me deu.

— Ah!

— O negócio realmente não me cheira bem, mas ele não é fichado. — E Japp prosseguiu: — Quanto à outra consulta, agora.

— Sim? — fez Poirot outra vez.

— Lazarus e Filho têm uma boa reputação. Honestos, e honram os compromissos. Espertos, é claro, mas isso não vem ao caso. Você tem de ser esperto para ter sucesso nos negócios. São boa gente. Apesar disso, a firma não anda muito bem ultimamente. Dificuldades financeiras.

— Como assim?

— A baixa do mercado de quadros atingiu-os duramente. E móveis antigos também saíram de moda, com toda essa onda de coisas modernas. Eles construíram uma nova loja no ano passado e, como já lhe disse, não andam lá muito sólidos financeiramente.

— Muitíssimo obrigado.

— De nada. Não costumo fazer esse tipo de coisa, como sabe. Mas para o senhor eu fiz questão de investigar. Para nós é muito fácil colher informações.

— Caro amigo Japp, que faria eu sem o senhor?

— Que nada! Sempre gosto de colaborar com os velhos amigos. Até que lhe dei muitos casos naqueles bons e velhos tempos, não foi? E o senhor resolveu muitos deles para mim.

Constatei que, para Japp, aquela tinha sido a melhor maneira de compensar em parte suas dívidas para com Poirot, que tinha solucionado alguns casos que deixaram o inspetor inglês inteiramente confuso.

— Bons tempos aqueles... — murmurou Poirot.

— Bem que gostaria de conversar com o senhor de vez em quando. Seus métodos podem ser antiquados, caro Monsieur Poirot, mas o senhor tem a cabeça no lugar.

— E quanto a minha outra pergunta: o dr. Mac Allister?

— Ah! sim. É um médico de mulheres. Não é ginecologista. É desses psicanalistas que lhe dizem que durma num quarto de paredes vermelhas e teto laranja. Ele fala sobre a libido, o que quer que seja isso, e aconselha que se deixe levar por seus desejos. Na minha opinião é um charlatão, mas as mulheres não o deixam. Viaja muito e tem algum tipo de trabalho em Paris, eu acho.

— Por que dr. Mac Allister? — perguntei espantado, pois nunca tinha ouvido o nome. — Onde é que ele entra na história?

— Ele é o tio do comandante Challenger. Lembra-se de que ele mencionou um tio médico? — explicou Poirot.

— Você vai até ao fim, mesmo! Você achava que ele tinha operado Sir Matthew?

— Ele não é cirurgião — disse Japp.

— *Mon ami,* gosto de investigar tudo. Hercule Poirot é um bom cão de caça. O cão de caça fareja a pista, e se infelizmente não houver pista, ele fareja por todo o lado, procurando algo que não cheire muito bem. E assim age Hercule Poirot. E muitas vezes (quantas vezes!) ele encontra algo.

— Nossa profissão não é agradável — disse Japp. — Não me importo de dizer isso. Não, não é agradável. E para o senhor ainda é pior: não é oficial e por isso tem de se introduzir furtivamente em muitos lugares.

— Eu nunca disfarcei, Japp. E nunca *me* disfarcei tampouco.

— O senhor não conseguiria. O senhor é único: uma vez visto, nunca esquecido.

Poirot olhou para ele meio desconfiado.

— É só brincadeira minha. Não dê atenção — continuou Japp. — Um cálice de Porto?

A noite tornou-se agradável e harmoniosa. Começamos a lembrar o passado: esse caso, aquele caso e mais aquele outro... Devo dizer que gostei de falar do passado. Tinham sido bons tempos. Como me senti velho e vivido!

Pobre Poirot. Estava perplexo diante desse caso presente. Eu podia bem testemunhar isso. Seus poderes talvez já não fossem os mesmos. Iria ele fracassar? Será que o algoz de Maggie Buckley nunca seria punido?

— Coragem, amigo — disse Poirot, batendo no meu ombro. — Nem tudo está perdido. Não faça essa cara desanimada, por favor.

— Eu estou muito bem.

— E eu também, e Japp também.

— Nós todos estamos ótimos — declarou Japp rindo.

E com isso separamo-nos.

Na manhã seguinte retornamos a Saint Loo. Assim que chegamos ao hotel, Poirot telefonou para a clínica e mandou chamar Nick.

Subitamente seu rosto alterou-se. Quase deixou cair o telefone.

— Como? Repita, por favor?

Ele se calou por um ou dois minutos escutando atentamente. Depois disse:

— Sim, sim. Irei imediatamente.

Voltou para mim, pálido.

— Por que me afastei, Hastings? Meu Deus, por que me afastei?

— Que aconteceu?

— Mademoiselle Nick está em estado grave. Envenenamento por droga. Atingiram-na afinal. Meu Deus, meu Deus, por que saí daqui?

17
A caixa de bombons

Poirot passou todo o percurso até a clínica murmurando e falando consigo mesmo. Recriminava-se fortemente.

— Eu deveria ter suspeitado — resmungou. — Eu deveria ter desconfiado! Mas mesmo assim, que poderia eu fazer para evitar o acontecido? Impossível. Simplesmente impossível: ninguém tinha permissão de se aproximar dela. Quem terá desobedecido às ordens?

Na casa de saúde permanecemos numa saleta, até que, após alguns minutos de espera, o dr. Graham apareceu, exausto e pálido.

— Ela sobreviverá. O problema foi sobretudo descobrir quanto da maldita droga ela tinha ingerido.

— Que espécie de droga?

— Cocaína.

— Tem certeza de que ela sobreviverá?

— Sim, sim, sem dúvida.

— Mas como aconteceu? Como puderam alcançá-la? A quem permitiram entrar? — Poirot praticamente saltava de tão agitado.

— Ninguém entrou — respondeu o dr. Graham.

— Impossível.

— Mas é verdade.

— Então como...?

— Foi uma caixa de bombons.

— Ah! *Sacré*. E eu disse a ela que não comesse nada, absolutamente nada que viesse de fora.

— Disso eu não sei. É difícil para uma jovem resistir a uma caixa de bombons. Ainda bem que ela só comeu um.

— Todos os bombons continham cocaína?

— Não. A moça comeu um. Constatamos a presença da droga em dois outros da camada de cima. O resto não continha nada.

— Como foi posta a cocaína?

— Trabalho de principiante. O bombom foi cortado ao meio, a droga misturada ao recheio, e depois as duas partes foram coladas outra vez. Primário. O que se poderia chamar de coisa feita em casa.

Poirot grunhiu.

— Ah! Se eu soubesse! Posso ver a Mademoiselle?

— Volte daqui a uma hora — disse o médico. — Anime-se, homem! Ela não vai morrer.

Perambulamos pelas ruas de Saint Loo por uma hora. Fiz o possível para distrair Poirot. Disse-lhe que, apesar de tudo, nada de grave tinha acontecido.

Mas ele só fazia sacudir a cabeça e murmurar:

— Tenho medo, Hastings. Tenho medo.

O tom com que ele dizia isso acabou contagiando-me.

Num determinado momento, ele agarrou meu braço.

— Escute, meu amigo. Estou completamente enganado. Estava enganado desde o início.

— Você quer dizer que a mola não é o dinheiro?

— Não, não. Quanto a esse ponto estou certo. Mas aqueles dois... É tudo tão simples, tão fácil. E há outra reviravolta com que não contávamos. Sim, há algo mais!

E de repente, numa explosão indignada:

— Ah! Essa menina. Eu a tinha proibido. Eu digo: "Não toque em nada que venha de fora." E ela me desobedece, a mim, Hercule Poirot. Será que as quatro vezes em que escapou à morte não lhe foram suficientes? Quer ainda uma quinta vez? É inaudito!

Afinal voltamos. Após uma breve espera, subimos.

Nick estava sentada na cama, as pupilas bastante dilatadas. Parecia febril, e suas mãos não paravam, contorcendo-se violentamente.

— Outra vez — murmurou ela.

Poirot ficou emocionado ao vê-la. Tomou-lhe as mãos nas suas.

— Ah! Mademoiselle... Mademoiselle...

— Eu não me incomodaria se eles me pegassem dessa vez — disse ela provocante. — Estou cansada de tudo! Simplesmente exausta!

— Pobre menina!

— Algo em mim não quer deixar-se vencer por eles.

— É seu espírito, Mademoiselle. Seu espírito de luta.

— Sua famosa clínica, afinal, não é tão segura assim.

— Se a senhorita tivesse obedecido...

Ela o olhou um pouco espantada.

— Mas eu obedeci!

— Não lhe disse que não comesse nada que viesse de fora?

— E não comi.

— E os bombons?

— Bem, achei que fossem uma exceção, já que o senhor os tinha enviado.

— Que disse?!

— O senhor os enviou.

— Eu?! De jeito nenhum!

— Seu cartão estava na caixa.

— O quê?

Nick esboçou um movimento espasmódico para a mesa de cabeceira. A enfermeira imediatamente adiantou-se.

— A senhorita deseja o cartão que estava na caixa?

— Sim, por favor, enfermeira.

Momentos depois a enfermeira volta com o cartão.

— Aqui está.

Ficamos abismados, Poirot e eu. No cartão, com letra floreada, liam-se as mesmas palavras que eu tinha visto Poirot escrever no cartão que acompanhou a cesta de flores: "Com os cumprimentos de Hercule Poirot."

— Santo Deus!

— Viu só? — disse Nick em tom acusador.

— Eu não escrevi isso! — exclamou Poirot.

— O quê?

— Embora a letra seja minha — murmurou ele pensativo.

— Sei que é sua. É a mesma letra do cartão que veio com os cravos cor de laranja. Por isso não duvidei por um segundo que os bombons também vinham do senhor.

Poirot sacudiu a cabeça devagar.

— Como poderia duvidar? Oh! É um demônio! Um demônio cruel e esperto! Pensar numa coisa dessa! Ah, esse homem é decididamente um gênio! "Com os cumprimentos de Hercule Poirot." Tão simples. É, mas alguém deveria ter antecipado isso. E eu... eu não o fiz. Não previ uma coisa dessa.

Nick se movimentou, agitada.

— Não se preocupe, Mademoiselle. Não teve absolutamente nenhuma culpa. Eu sou o único culpado. Que imbecil eu sou! Devia ter previsto esse acidente.

Baixou a cabeça: era a própria imagem da infelicidade.

— Eu realmente acho... — começou a enfermeira.

Ela passou os últimos minutos ali, inquieta, com uma expressão desaprovadora no rosto.

— Sim, sim! Já vou indo. Coragem, Mademoiselle. Esse será o último erro que cometo. Estou envergonhado e desolado: fui tapeado, enganado como um menino. Mas não acontecerá outra vez. Dou-lhe minha palavra. — E virando-se para mim: — Venha, Hastings.

A primeira providência que tomou foi a de interrogar a diretora. Ela estava, como seria natural, muito aborrecida com o ocorrido.

— Parece incrível, Monsieur Poirot. Incrível que uma coisa assim aconteça em minha clínica.

Poirot concordou, demonstrando muito tato. Depois que a consolou suficientemente, ele começou a perguntar a respeito das circunstâncias em que tinha chegado a encomenda fatal. A diretora aconselhou-o a conversar com o servente que trabalhou durante o turno da chegada dos bombons.

O homem, cujo nome era Hodd, não era muito inteligente, mas parecia honesto. Era um jovem de aproximadamente 22 anos, nervoso e assustado. Poirot acalmou-o.

—Você não tem culpa de nada — disse ele bondosamente. — Quero apenas que me diga como e quando a encomenda chegou.

O rapaz parecia confuso.

— É difícil dizer, senhor. Muita gente entra, faz perguntas e deixa coisas para os pacientes.

— A enfermeira disse que esse pacote chegou ontem à noite, às seis horas mais ou menos — disse eu.

O rosto do rapaz iluminou-se.

— Então me lembro, senhor. Um cavalheiro veio trazê-lo.

— Um cavalheiro de feições finas, cabelos louros?

— Ele era louro, sim, mas não me lembro do rosto.

— Será que foi Charles Vyse? — murmurei para Poirot.

Tinha me esquecido completamente de que o rapaz reconheceria na certa o nome de alguém do lugar.

— Não foi o sr. Vyse. Eu o conheço. Era um homem maior, bonitão, num carro enorme.

— Lazarus! — exclamei.

Poirot fulminou-me com um olhar, fazendo com que me arrependesse de minha precipitação.

— Ele veio num carro grande e deixou este embrulho para a srta. Buckley?

— Isso mesmo — confirmou o rapaz.

— E que fez você com o pacote?

— Nem toquei nele. A enfermeira o levou para cima.

— É verdade, mas você o tocou quando o recebeu das mãos do cavalheiro, não foi?

— Ah, sim, claro! Recebi o embrulho e o coloquei sobre a mesa.

— Que mesa? Mostre-me a mesa, por favor.

O rapaz nos conduziu até o saguão. A porta da frente estava aberta. Perto da porta havia uma mesa comprida, com tampo de mármore, onde estavam várias encomendas e cartas.

— Tudo que chega é colocado aqui, senhor. Depois as enfermeiras levam para os pacientes.

—Você se lembra a que horas chegou este pacote?

— Deve ter sido às 17h30, mais ou menos. Talvez um pouco mais tarde. O correio passa sempre a essa hora, e tinha acabado de passar. Foi uma tarde muito movimentada: uma porção de gente trazendo flores, e houve muitas visitas.

— Muito obrigado. Agora gostaríamos de conversar com a enfermeira que subiu com a caixa.

A enfermeira era uma jovem principiante, uma criaturinha ansiosa por emoções. Ela se lembrava de ter subido com o embrulho às seis horas, no começo do seu turno.

— Seis horas — murmurou Poirot. — Então a caixa ficou lá embaixo sobre aquela mesa por pelo menos uns vinte minutos.

— Como?

— Nada, Mademoiselle. Continue, por favor. Então levou a caixa para a srta. Buckley.

— Havia várias coisas para ela: a caixa, flores e um buquê de ervilhas-de-cheiro de um casal, sr. e sra. Croft. Levei tudo ao mesmo tempo. O mais curioso é que havia chegado outra caixa de chocolates da Fuller's, pelo correio.

— Como? Uma segunda caixa?

— É. Coincidência, não é? A senhorita abriu as duas e exclamou: "Que pena! Não posso comer nada!" Então ela levantou as tampas para ver se os bombons eram iguais e disse que havia um cartão seu numa das caixas. Imediatamente deu-me a outra, dizendo: "Leve esta caixa impura, enfermeira. Eu sou capaz de confundir as duas." Meu Deus! Quem poderia pensar em fazer isso a ela? Parece até Edgar Wallace!

Poirot interrompeu a enxurrada de palavras.

— Duas caixas, disse a senhorita? De quem vinha a outra?

— Não tinha nada dentro.

— E qual foi a que veio como se fosse enviada por mim? A que veio pelo correio ou a outra?

— Sabe que não sei mesmo? Quer que pergunte à srta. Buckley?

— Poderia fazer isso para nós?
Ela saiu correndo escada acima.
— Duas caixas — murmurou Poirot. — Mais confusão.
A enfermeira voltou esfogueada.
—A srta. Buckley não tem certeza. Diz que desembrulhou as duas para verificar o conteúdo, mas acha que não foi a do correio.
— Hein? — perguntou Poirot um pouco confuso.
— A caixa que o senhor mandou não veio pelo correio. Pelo menos é o que ela pensa.
— Diabo! — exclamou Poirot ao sairmos. — Será que ninguém tem certeza de nada? Nos livros, todos estão sempre certos das coisas. Mas na vida real é uma verdadeira confusão. Eu mesmo estarei certo das coisas? Não! Definitivamente não!
— Lazarus — disse eu.
— Uma surpresa, não é?
—Você vai falar com ele?
— Claro. Quero ver como reage. De fato, poderíamos piorar o estado de saúde da Mademoiselle. Vamos dizer que ela está às portas da morte, com a cara mais séria possível. Assim mesmo, Hastings! Você parece até um coveiro.

Tivemos sorte em encontrar Lazarus, metido debaixo do capô do carro, em frente ao hotel.

Poirot foi direto até ele.

— Ontem à noite, Monsieur Lazarus, o senhor deixou uma caixa de bombons para a Mademoiselle — afirmou ele sem preâmbulos.

Lazarus pareceu surpreso.
— Sim?
— Muito gentil de sua parte.
— Na verdade, os bombons foram encomendados por Freddie, a sra. Rice. Ela me pediu que os levasse.
— Compreendo.

Poirot ficou calado por certo tempo. Depois perguntou:
— Onde está a Madame Rice?
— Acho que está na sala de estar do hotel.

Encontramos Frederica tomando chá. Olhou-nos com certa ansiedade.

— Ouvi uns boatos de que Nick estaria doente?

— Um negócio muito misterioso, Madame. Diga-me: mandou-lhe uma caixa de bombons ontem?

— Sim. Foi ela quem pediu.

— Ela pediu?

— Sim.

— Mas como, se ela não tinha permissão para ver ninguém?

— Não estive lá. Ela telefonou.

— Ah! E disse o quê?

— Se eu podia comprar uma caixa de um quilo de bombons da Fuller's.

— E a voz? Como estava? Fraca?

— Não de todo. Bem forte até. Mas muito diferente de sua voz normal. Nem a reconheci no começo.

— Até que ela se identificou?

— Sim.

— Tem certeza, Madame, de que era sua amiga?

Frederica pareceu assustada.

— Mas claro que era. Quem mais poderia ser?

— Está aí uma pergunta interessante, Madame.

— O senhor não quer dizer que...

— A senhora juraria que era a voz de sua amiga, se ela não tivesse lhe dito quem era?

— Não... — respondeu Frederica devagar. — Acho que não. A voz estava bem diferente. Julguei que fosse o telefone, ou talvez alguma doença...

— Se ela não lhe dissesse quem era, a senhora não saberia?

— Não! Acho que não! Quem era, Monsieur Poirot? Quem era?

— É o que pretendo descobrir, Madame.

A expressão séria de Poirot a assustou.

— Aconteceu alguma coisa com Nick? — perguntou, ansiosa.

— Ela está gravemente doente. Os bombons estavam envenenados.

— Os bombons que *eu* mandei? Não é possível!

— Tanto é possível, Madame, que a Mademoiselle está às portas da morte.

— Oh! Meu Deus! — Ela escondeu o rosto nas mãos. Olhou-nos depois, pálida e trêmula. — Não compreendo, não compreendo. Os outros sim, mas isto não. Não podiam estar envenenados. Ninguém tocou na caixa: só Jim e eu. O senhor deve estar cometendo algum engano, Monsieur Poirot.

— Não fui eu quem cometeu o engano, embora meu nome estivesse no cartão.

Ela o fitou sem compreender.

— Se Mademoiselle Nick morrer... — disse ele, fazendo um gesto ameaçador.

Ela soltou um grito abafado.

Poirot virou-se, tomou-me pelo braço e subimos. Lá chegando, jogou o chapéu sobre a mesa.

— Não entendo nada, mas nada mesmo. Estou no escuro, como uma criança. Quem pode lucrar com a morte dessa jovem? Madame Rice. Quem admite ter comprado os bombons e conta uma história fantástica a respeito de um telefonema? Madame Rice. É tudo muito simples, muito idiota. E ela não é idiota... Não é.

— Então...?

— Mas ela usa cocaína, Hastings. Estou certo disso. Não há margem de erro. E os bombons continham cocaína. E que quis ela dizer com "Os outros sim, mas isto não"? Precisa ser explicado. E o maneiroso Monsieur Lazarus, que faz ele no meio de tudo isso? Que esconde a Madame Rice? Ela sabe de alguma coisa, mas não consigo fazê-la falar. Ela não é daquelas que se assustam facilmente e despejam tudo. Mas ela sabe de alguma coisa, Hastings. A história do telefone será verdadeira? Ou ela inventou? Se é verdade, quem estava falando? Estou lhe dizendo, Hastings. Estou no escuro, completamente no escuro.

— É sempre mais escuro antes da alvorada — disse eu a título de consolo.

Ele sacudiu a cabeça.

— E a outra caixa, a que veio pelo correio? Não podemos descartá-la, porque a Mademoiselle não tem certeza. Que aborrecimento!

Eu ia falar, quando ele me interrompeu:

— Não. Outro provérbio não! Não poderia tolerar! Se você quiser ser um bom amigo, um amigo prestativo...

— Sim, sim? — perguntei ansioso.

— Vá buscar para mim um baralho, por favor.

Parei, estupefato.

— Está bem — respondi friamente.

Suspeitei de que sua intenção era livrar-se de mim, mas estava sendo injusto com Poirot. Naquela mesma noite, quando entrei na saleta, por volta das dez, encontrei meu amigo construindo cuidadosamente castelos de cartas. Lembrei-me subitamente! Era um velho truque para acalmar-se quando estava nervoso. Ele sorriu para mim.

— Você se lembra, não é? A precisão é imprescindível. Uma carta sobre a outra, no lugar exato, deve suportar o peso das outras que vêm sobre elas, e assim por diante. Vá dormir, Hastings. Deixe-me com meu castelo de cartas. Ele clareia meu raciocínio.

Por volta das cinco horas da manhã, alguém me sacudiu. Poirot, de pé ao lado de minha cama, parecia feliz e alegre.

— Muito verdadeiro o que você disse, *mon ami*! Extremamente verdadeiro. Mais ainda: espiritual.

Pisquei, ainda meio adormecido.

— É sempre mais escuro antes da alvorada, foi o que você disse. Tem estado muito escuro: agora é a alvorada.

Olhei para a janela. Realmente era a alvorada.

— Não, Hastings! Em minha mente! A massa cinzenta!

Fez uma pausa e então disse devagar:

— Você sabe, Hastings, a Mademoiselle está morta.

— O quê? — gritei eu, completamente desperto.

— Calma, calma. A morte não será real. Será uma combinação com os médicos e enfermeiras. Só por 24 horas. Você entende,

Hastings? O assassino conseguiu afinal. Tentou quatro vezes e falhou. Na quinta vez conseguiu.
— E veremos o que vai acontecer...
—Vai ser muito interessante — murmurou Poirot.

18
Um rosto na janela

Os acontecimentos do dia seguinte ainda estão, até hoje, confusos para mim. Para começar, acordei com febre. Sempre fui sujeito a esses acessos de febre desde que tive malária, algum tempo atrás.

Por isso, o que aconteceu naquele dia em especial parece-me um pesadelo, com Poirot figurando como uma espécie de palhaço fantástico que aparecia e desaparecia do picadeiro.

Ele estava se divertindo muito. Sua pose de desespero era perfeita. Como tinha conseguido executar os planos a que se propunha, não sei. Mas tudo parecia estar dando certo, dentro de suas previsões. Não deve ter sido nada fácil, pois o plano envolvia mentiras e subterfúgios em grande escala. Os ingleses em geral não gostam muito de enganar os outros, e era isso exatamente o que o plano de Poirot exigia. Primeiro, era preciso convencer o dr. Graham. Tendo conseguido isso, ele precisaria então persuadir a diretora e algumas enfermeiras a tomar parte no esquema. Imagino bem as dificuldades que deve ter enfrentado. Foi provavelmente o dr. Graham quem fez a balança pender para o nosso lado.

Depois ainda havia o chefe de polícia e os policiais. Poirot teria de convencer oficiais a agir contra as normas. Afinal, depois de alguns contratempos, ele conseguiu que o coronel Weston, muito a contragosto, lhe desse a necessária permissão para executar o plano, mas o coronel deixou bem claro que estava isento de qualquer responsabilidade. Poirot, exclusivamente Poirot, seria o responsável por todas as mentiras. Poirot concordou.

De fato, ele concordaria com qualquer coisa que lhe permitisse levar seu plano adiante.

Passei a maior parte do dia cochilando numa poltrona, uma manta sobre os joelhos. De três em três horas, Poirot vinha contar-me os últimos progressos do plano.

— Como vai, *mon ami*? Não sabe como tenho pena de você, mas talvez até seja melhor. Você não é tão bom ator quanto eu. Imagine que acabei de encomendar uma coroa imensa de lírios. Mandei escrever na faixa: "Com os sinceros sentimentos de Hercule Poirot." Ah! Que comédia!

Partiu logo depois.

Mais tarde veio com outras novidades.

— Tive uma conversa realmente emocionante com a Madame Rice. Ela estava muito bem-vestida, toda de preto. Sua pobre amiga! Que tragédia! Ela disse que Nick era tão alegre, tão cheia de vida, que é impossível imaginá-la morta. Eu concordei: "É a ironia da morte. Alguém como ela se vai e ficam os velhos e inúteis."

— Como você está adorando tudo isso! — murmurei debilmente.

— É parte do plano. Para fazer uma comédia dessas, é preciso que a pessoa se entregue de corpo e alma.

Ele prosseguiu na descrição da conversa com a sra. Rice:

— Depois das demonstrações convencionais de pesar, a Madame começou a falar do que interessava. Toda a noite ela tinha ficado desperta pensando nos bombons. Diz que é impossível, impossível. Eu lhe respondi dizendo que bastava ver o relatório da análise do laboratório químico. Então ela pergunta, com a voz vacilante: "Era cocaína?" Eu concordei. E ela diz: "Meu Deus! Não compreendo!"

— Talvez seja verdade, Poirot — arrisquei.

— Ela sabe muito bem que está em perigo, Hastings. Ela é inteligente. Já lhe disse isso. E sabe que está em perigo.

— É engraçado, mas pela primeira vez eu acho que você não a julga culpada.

Poirot fechou a cara. Seu entusiasmo diminuiu.

— É profundo o que acaba de dizer, Hastings. Parece-me que, de alguma maneira, os fatos já não encaixam. Até agora, a sutileza, a finura, têm sido a marca registrada dos atentados todos. E, de repente, essa sutileza desaparece. Esta última tentativa é crua, pura e simplesmente. Não, não se encaixa.

Ele se sentou à mesa.

— *Voilà*, vamos examinar os fatos. Há três possibilidades. Na primeira, a Madame compra os bombons e Monsieur Lazarus os entrega. Neste caso, um ou outro será o culpado. O telefonema de Mademoiselle Nick terá sido pura invencionice. Esta é a solução mais óbvia. Na segunda possibilidade, consideremos a caixa de bombons que veio pelo correio. Qualquer um dos suspeitos de nossa lista, de A. a J., poderia tê-la enviado. Mas, se aquela era a caixa envenenada, por que o telefonema? Por que complicar as coisas com uma segunda caixa?

Eu balancei a cabeça. Com a febre que eu estava, qualquer complicação me parecia inútil e absurda.

— Vamos à terceira possibilidade. A caixa de bombons que a Madame comprou foi substituída por outra envenenada. Nesse caso, o telefonema é compreensível e até engenhoso. A Madame seria a vítima de um ardil. A terceira solução é a mais lógica, porém infelizmente a mais difícil. Como substituir a caixa no momento certo? O servente poderia subir com a caixa imediatamente. Existem pelo menos cem alternativas que poderiam impedir a substituição. Não, não faz sentido.

— A menos que Lazarus efetuasse a troca — murmurei.

Poirot olhou para mim.

— Você deve estar com febre alta, meu amigo.

Concordei, balançando a cabeça.

— É curioso como a febre às vezes estimula o intelecto. Sua sugestão é de uma simplicidade cristalina. Tão simples que nem me passou pela cabeça. E seria uma combinação curiosa. Monsieur Lazarus, amigo da Madame, fazendo o possível para ver a amiga enforcada. Seria curioso, mas complexo, muito complexo.

Fechei os olhos, satisfeito de ter sido brilhante, mas cansado demais para pensar em coisas complexas. Queria só dormir. Poirot continuou falando, mas eu não escutei mais e adormeci, embalado por sua voz.

Já era quase noite quando o vi de novo.

— Meu plano fez a felicidade e a fortuna dos floristas. Todos estão encomendando coroas: Monsieur Croft, Monsieur Vyse, o comandante Challenger...

O último nome despertou-me.

— Poirot, você precisa avisá-lo de seu plano. Pobre coitado! Deve estar sofrendo tanto! Não é justo.

—Você sempre gostou dele, Hastings.

— Gosto dele, sim. É decente. Você tem de contar seu plano a ele.

Poirot sacudiu a cabeça.

— Não, *mon ami*, não abro exceções.

— Mas se você não suspeita dele...

— Não abro exceções.

— Pense no sofrimento dele.

—Ao contrário. Penso na surpresa única que estou preparando para ele. Será uma sensação fantástica, estupenda: saber que sua amada, que ele julgava morta, está viva!

—Você é teimoso como o diabo! Ele não trairia seu segredo.

— Não estou tão certo assim.

— Ele é a imagem da honra, tenho certeza.

— Nesse caso, ainda seria mais difícil para ele guardar segredo. Guardar um segredo é uma arte que às vezes requer mentiras ardilosas, aptidão para encenação e sobretudo prazer em enganar. Você acha que o comandante Challenger saberia fingir? Se ele é tudo isso que você diz, na certa não saberá.

— Então você não vai dizer a ele?

— Recuso-me a arriscar o sucesso de meu plano por sentimentalismo. Estamos jogando com a vida e a morte, meu amigo. De qualquer maneira, sofrer é bom para o caráter. Pelo menos é o que dizem os clérigos ingleses. Um bispo também, se não me engano.

Desisti de convencê-lo a mudar de ideia. Não adiantaria mesmo.

— Não vou mudar de roupa para o jantar — murmurou ele. — Sou como um velho falido. Faz parte do plano, você sabe. Toda a minha autoconfiança se foi. Estou em pedaços. Fracassei e nem terei apetite para jantar: vou deixar a comida intacta no prato. Acho que essa seria a atitude apropriada no meu caso. Vou comer, no quarto, uns brioches e uns *éclairs* de chocolate que comprei de tarde. E você? O que vai fazer?

—Vou tomar mais quinino — disse eu, tristemente.

— Coragem, meu pobre Hastings. Amanhã será um dia melhor.

— Provavelmente; esses ataques em geral só duram 24 horas.

Não o ouvi voltar mais tarde. Devo ter caído no sono.

Quando acordei, ele estava sentado à mesa escrevendo. Na sua frente um pedaço de papel amassado que parecia ter sido amassado e depois alisado. Era o papel onde ele tinha feito a lista de A. a J. e que havia sido descartado.

Ele balançou a cabeça em resposta à pergunta que eu nem tivera tempo de fazer.

— Exatamente, meu amigo: ressuscitei a lista e estou trabalhando nela de um outro ponto de vista. Estou fazendo uma série de perguntas a respeito de cada uma das pessoas. Algumas perguntas nada têm a ver com o crime, são pormenores que não descobri e para os quais gostaria de arranjar respostas.

— Até onde já chegou na lista?

— Já acabei. Quer ouvir? Sente-se melhor?

— Sim. Na verdade, sinto-me muitíssimo melhor.

— Que ótimo! Vou ler então para você. Algumas perguntas você vai considerar até infantis.

Poirot pigarreou e começou com sua lista:

A. ELLEN — *Por que ficou dentro de casa e não foi ver os fogos? (Comportamento não habitual, o que foi demonstrado pela surpresa da Mademoiselle.) Que pensava ou suspeitava que pudesse acontecer?*

Deixou entrar alguém na casa (J., por exemplo)? Estará dizendo a verdade a respeito do nicho secreto? Se esse nicho existe na casa, por que não consegue localizá-lo? (A Mademoiselle parece segura de que não existe o tal nicho e, sendo a dona da casa, deve saber o que diz.) Se ela inventou o painel secreto, por que fez isso? Terá lido as cartas de amor de Michael Seton, ou sua surpresa foi mesmo genuína?

B. O MARIDO DE ELLEN — É tão idiota quanto faz parecer? Ellen lhe conta tudo que sabe ou não? Terá problemas mentais de qualquer natureza?

C. O FILHO — Sua alegria ao ver sangue é própria da idade ou será um prazer mórbido? Se é morbidez, será hereditária? Já atirou pelo menos com uma pistola de brinquedo?

D. SR. CROFT — Quem é ele? De onde vem? Será que realmente pôs no correio o testamento? Que motivo teria para não fazê-lo?

E. SR. E SRA. CROFT — Quem são? Estão se escondendo por alguma razão? Se estão, por quê? Terão ligação com a família Buckley?

F. SRA. RICE — Sabia do noivado de Nick e Michael Seton? Adivinhou simplesmente ou terá lido as cartas? (Nesse caso, ela saberia que a Mademoiselle era herdeira de Seton.) Sabia que era herdeira universal da Mademoiselle? (Acho que deve saber. A Mademoiselle deve ter lhe contado, dizendo que ela não ia lucrar muito com isso.) Será verdade que Lazarus já teve atração por Nick, como disse o comandante Challenger? (Esse fato poderia explicar uma certa frieza entre as duas amigas nos últimos meses.) Quem é o "amigo" mencionado em seu bilhete e que lhe fornece a droga? Seria J.? Por que desmaiou aqui no outro dia? Foi algo que dissemos ou algo que viu? O telefonema pedindo-lhe que comprasse bombons é verdadeiro ou apenas uma mentira premeditada? Que quis dizer com "Os outros sim, mas isto não"? Se não é culpada, qual é o segredo que não quer contar?

—Você percebeu — interrompeu Poirot — que as perguntas que concernem à Madame Rice são as mais numerosas? Do princípio ao fim, ela é um enigma. O que me faz chegar a uma conclusão: ou a Madame Rice é a culpada, ou então sabe, ou pensa que sabe, quem é o culpado. Ela saberá mesmo? Ou só suspeita de alguém? Como a obrigaremos a falar?

Ele suspirou.

— Bem, vou continuar com minha lista de perguntas.

G. Sr. Lazarus — *Curioso. Quase não há perguntas para ele, exceto uma, direta e crua: "Terá ele substituído as caixas de bombons?" Fora essa, só uma outra sem importância: "Por que ofereceu cinquenta libras por um quadro que só vale vinte?"*

— Ele queria ajudar Nick — sugeri.

— Então não seria desse jeito. Ele é um negociante. Não compra para vender com prejuízo. Se quisesse ser amável, ele poderia emprestar o dinheiro como amigo.

— Em todo caso, isso nada tem a ver com o crime.

— É verdade, mas de qualquer maneira eu gostaria de saber. Sou um psicólogo amador, você já sabe.

— Agora vamos ao H — disse eu.

H. Comandante Challenger — *Por que Mademoiselle Nick disse a ele que estava noiva? Qual era a necessidade de contar a ele? Não disse a ninguém mais. Ele a terá pedido em casamento? Quais suas relações com o tio?*

— Que tio, Poirot?

— O médico, aquele indivíduo meio duvidoso. Será que o almirantado soube da morte de Michael Seton, antes que fosse anunciada publicamente?

— Não sei aonde quer chegar, Poirot. Mesmo que Challenger soubesse da morte de Seton com antecedência, que lhe adiantaria?

Não daria absolutamente nenhum motivo para que Challenger matasse a moça que amava.

— Concordo, Hastings. O que diz é perfeitamente lógico. Mas há pontos que eu, Poirot, gostaria de esclarecer. Sou como um cão de caça, já lhe disse, farejando coisas que não são muito agradáveis.

E continuou:

I. MONSIEUR VYSE — *Por que disse que a prima era fanática pela Casa do Penhasco? Que motivo teria para dizer isso? Recebeu, ou não, o testamento? Será mesmo um homem honesto? Ou não?*

J. *E agora? Existirá ou não? Só posso colocar aqui um grande ponto de interrogação. Se...*

— Meu Deus, Hastings! O que você tem?

Eu tinha pulado da cadeira com um grito repentino. Com a mão ainda trêmula, apontei para a janela:

— Um rosto, Poirot! Um rosto encostado no vidro. Um rosto terrível! Desapareceu agora, mas eu o vi.

Poirot foi até lá e abriu a janela.

— Não há ninguém ali agora — disse pensativo. — Você tem certeza de que não foi sua imaginação?

— Absoluta! Era um rosto horrível.

— Existe uma varandinha, é claro. Qualquer pessoa poderia subir, se quisesse escutar o que dizíamos. Quando você disse "um rosto horrível", que quis dizer exatamente, Hastings?

— Um rosto pálido que nos olhava. Nem parecia humano.

— *Mon ami*, é a febre. Um rosto, vá lá. Um rosto desagradável, também vá lá. Mas um rosto que não parece humano, isso é demais. O que você viu foi o efeito de um rosto encostado com força contra a vidraça. Isso, aliado ao choque de ver alguém na janela, fez você imaginar coisa pior.

— Era um rosto de dar medo — disse eu teimoso.

— Não era ninguém conhecido?

— Não, não.
— Mas pode ter sido, sim. Você não reconheceria ninguém nessas circunstâncias. Estou imaginando agora... É isso mesmo. Imagino se...
Ele juntou seus papéis.
— Há pelo menos uma coisa boa: se o dono do rosto ouviu nossa conversa, nós não dissemos nada sobre a Mademoiselle Nick. O que quer que tenha ouvido, este pormenor ele não sabe: se ela está viva ou morta.
— Mas até agora não vi nenhum resultado aparente da sua brilhante manobra. Nick está morta para todos os efeitos, e nada de espantoso aconteceu ainda.
— Por enquanto eu não esperava nada de extraordinário mesmo. Eu disse 24 horas, *mon ami*. Amanhã as coisas começarão a acontecer. Se nada acontecer, é porque eu estava errado do princípio ao fim. Há o correio, lembra-se? Tenho grandes esperanças no correio de amanhã.

Acordei sem febre no dia seguinte, mas ainda me sentia fraco. Sentia fome também. Poirot e eu tomamos café em nossa saleta.

— Então? — perguntei maliciosamente, enquanto ele examinava as cartas. — Veio o que você esperava?

Poirot, que tinha acabado de abrir dois envelopes que obviamente eram contas, não respondeu. Achei-o meio desanimado, sem a segurança costumeira.

Abri minha correspondência. O primeiro envelope continha um convite para uma reunião espírita.

— Se todo o resto falhar, podemos valer-nos do espiritismo — observei. — Às vezes me pergunto por que não fazem mais testes desse tipo: o espírito da vítima aparece e aponta o criminoso. Seria prova suficiente.

— Não nos ajudaria em nada — disse Poirot distraído. — Duvido que Maggie Buckley saiba quem a matou. Mesmo que pudesse falar, não teria nada para nos contar. Isso é estranho.

— O quê?

—Você falou sobre os mortos no mesmo momento em que eu estava abrindo esta carta.

Ele jogou uma carta para mim. Era da sra. Buckley.

Paróquia de Langley
Caro Monsieur Poirot,
Na minha volta, encontrei uma carta escrita por minha pobre filha quando chegou a Saint Loo. Não há nada nela que lhe interesse, creio eu, mas talvez gostasse de lê-la.
Mais uma vez, obrigada por tudo.

Cordialmente,
Jean Buckley.

A carta da jovem me deu um nó na garganta: uma carta simples, jovial, sem o menor pressentimento de tragédia.

Querida mamãe,
Cheguei bem, e a viagem foi muito boa. Só havia duas outras pessoas no vagão, até Exeter.
O tempo está ótimo aqui. Nick parece bem de saúde, talvez um pouco inquieta, mas alegre. Não sei por que me telegrafou com aquela pressa toda. Se telegrafasse na terça-feira daria no mesmo.
Vou parar por aqui. Vamos tomar chá com uns vizinhos australianos que alugaram o chalé da entrada, Nick diz que são amáveis demais. A sra. Rice e o sr. Lazarus vêm ficar aqui. Ele é o tal negociante de arte. Vou pôr esta carta na caixa do correio perto do portão, e logo devem levá-la. Escrevo outra vez amanhã.

Sua filha,
Maggie.

P.S.: Nick diz que houve uma razão para telegrafar tão às pressas. Vai dizer depois do chá. Ela anda muito estranha e assustada.

—A voz da morte — murmurou Poirot.— E não nos diz nada.

— A caixa do correio perto do portão — observei distraído.

— A mesma onde Croft disse que colocou o testamento.

— Foi o que ele disse. Mas será verdade? Será?

— Não veio nada mais interessante em sua correspondência?

— Nada, Hastings. Estou muito aborrecido. Completamente no escuro. Ainda no escuro. Não compreendo coisa nenhuma.

Naquele instante o telefone tocou e Poirot atendeu.

Imediatamente sua expressão mudou. Seu tom de voz estava controlado, mas ele não conseguia disfarçar a exaltação no olhar.

Sua contribuição para a conversa telefônica foi inteiramente banal, de modo que eu não podia fazer ideia do que pudesse ter acontecido.

Pouco depois, porém, com uma breve despedida, ele desligou e se dirigiu para onde eu estava. Mal podia esconder seu entusiasmo.

— *Mon ami*, que lhe disse eu? Coisas começaram a acontecer.

— Que foi?

— Monsieur Vyse me telefonou para informar que recebeu hoje de manhã, pelo correio, um testamento assinado por sua prima, a srta. Buckley. O documento está datado de 25 de fevereiro último.

— O famoso testamento?

— É claro.

— Apareceu afinal?

— Num momento extremamente conveniente, não acha você?

— E você não acha que ele está dizendo a verdade?

— Ou se eu acho que o testamento estava com ele todo esse tempo? Bem, não sei. É tudo muito estranho. Mas uma coisa é certa: eu lhe disse que, se pensassem que a Mademoiselle Nick estava morta, fatos começariam a se concretizar. Dito e feito!

— Extraordinário! Você tinha razão. E esse deve ser o testamento que faz da sra. Rice a herdeira universal.

— Monsieur Vyse nada disse a respeito do texto do documento. Foi muito correto. Mas não há dúvida de que esse é o testamento autêntico. As testemunhas são Ellen e o marido, disse o sr. Vyse.

— Voltamos ao ponto de partida: Frederica Rice — disse eu.
— O enigma! — murmurou Poirot.
— Frederica Rice — observei distraidamente. — É um nome bonito.
— Muito mais bonito que o apelido: Freddie, que não é um apelido para uma mulher nova.
— Não existem muitas reduções para Frederica. Não é como Margaret, que você pode chamar de várias maneiras: Maggie, Margot, Madge, Peggie...
— É verdade. Como é, Hastings, está mais feliz agora que as coisas começaram a acontecer?
— Naturalmente. Diga-me: você esperava que o testamento aparecesse?
— Não exatamente. Não tinha nenhuma esperança assim precisa. Tudo que eu sabia era que, apresentadas certas consequências, as causas sem dúvidas viriam à tona.
— Sim — disse eu respeitosamente.
— Que ia eu dizer quando o telefone tocou? — perguntou Poirot. — Ah! Sim! A carta da Mademoiselle Maggie. Preciso lê-la outra vez: tenho a impressão de que há algo nela que me escapou e que me pareceu curioso.

Entreguei a carta que ele leu e releu com atenção. Eu fui admirar os iates que passavam na baía.

De repente uma exclamação me assustou. Virei-me rápido.

Poirot segurava a cabeça entre as mãos. Parecia desesperado e infeliz.

— Oh! Como pude ser tão cego!
— Que houve, Poirot?
— Complexo, disse eu? Complicado? Claro que não! De extrema simplicidade. Extrema! E eu não vi nada! Não vi!
— Pelo amor de Deus, Poirot! Que luz foi essa que baixou de repente sobre você?
— Espere! Espere! Não diga uma palavra! Preciso arrumar as ideias. Rearrumar tudo diante desta grande descoberta tão inesperada!

Percorreu outra vez sua lista de perguntas, os lábios movendo-se quase imperceptivelmente. Uma ou duas vezes balançou a cabeça, enfático. Depois, pôs de lado o papel, recostou-se na cadeira e fechou os olhos. Pensei que afinal tivesse adormecido. De repente ele suspirou e abriu os olhos.

— Mas claro! Todas as pecinhas encaixam. Tudo que me parecia estranho e fora de lugar agora se encaixa.

— Quer dizer que resolveu o problema?

— Quase completamente. Pelo menos o que importa. Em alguns pontos eu estava bem próximo da verdade, mas, em outros, ridiculamente distante. Agora está tudo claro. Vou mandar um telegrama hoje, com duas perguntas cujas respostas eu já sei. Estão aqui. — E bateu na testa com o dedo.

— E quando receberá as respostas?

Ele não respondeu e levantou-se num impulso.

— Meu amigo, você se lembra de que a Mademoiselle Nick queria montar uma peça na Casa do Penhasco? Hoje à noite haverá teatro na Casa do Penhasco. Mas a peça será dirigida por Hercule Poirot. A Mademoiselle Nick tomará parte nela. — Ele sorriu malicioso. — Você compreende, Hastings, a peça vai ter um fantasma. Sim, um fantasma! A Casa do Penhasco nunca teve fantasmas. Pois terá um hoje à noite. Não lhe direi mais nada, Hastings. Vamos montar uma comédia e revelar toda a verdade! Agora vou sair, que tenho muito a fazer. Muito mesmo.

E saiu às pressas.

19
Poirot dirige uma peça

Era um grupo mesmo muito curioso que se reuniu naquela noite na Casa do Penhasco.

Pouco vi Poirot durante o dia. Ele saiu para jantar, mas deixou um recado pedindo-me que estivesse na Casa do Penhasco às nove horas. Não seria necessário vestir-me formalmente, acrescentou ele no bilhete, recomendação que me pareceu bastante ridícula.

Quando cheguei, fui levado para a sala de jantar. Olhando à minha volta, vi que todas as pessoas da lista de Poirot, de A. a I. estavam presentes. Só faltava J., por motivos óbvios: ele (ou ela) não existia. Até a sra. Croft estava lá, numa cadeira de rodas. Ela sorriu e me cumprimentou.

— Isto tudo é uma surpresa, não é? — disse ela alegremente. — Para mim é uma completa alteração na rotina, mas gostei tanto que acho que vou começar a sair de vez em quando. Foi ideia do Monsieur Poirot. Venha sentar-se perto de mim, capitão Hastings. Tenho um pressentimento de que esse negócio não vai ser nada agradável, mas o sr. Vyse insistiu tanto!

— O sr. Vyse? — perguntei surpreso.

Charles Vyse estava perto da lareira, e Poirot falava com ele em voz baixa.

Olhei em volta. Sim, estavam todos lá. Depois que me levou até a sala, pois eu tinha me atrasado um pouco, Ellen também se juntou ao grupo, no lugar dela, perto da porta. Numa cadeira ao lado dela estava o marido, muito esticado e respirando pesadamente. O filho, entre os dois, se mexia sem parar. O resto do grupo estava ao redor da mesa: Frederica de preto, Lazarus ao lado dela, George Challenger e Croft do outro lado da mesa. Eu estava mais afastado, próximo à sra. Croft.

Por fim, Charles Vyse, com um sinal de assentimento para Poirot, sentou-se à cabeceira enquanto Poirot tomava seu lugar silenciosamente ao lado de Lazarus.

Vi logo que o "diretor" (como Poirot tinha se intitulado) não teria um papel importante na peça. Charles Vyse parecia estar encarregado de todas as providências. Comecei a imaginar que surpresa Poirot lhe estaria reservando.

O jovem advogado pigarreou e levantou-se. Seu aspecto era o mesmo de sempre: impassível, formal e frio.

— Sei que esta reunião não lhes parece convencional, mas estamos diante de circunstâncias bastante peculiares e que se afastam de convenções. Refiro-me, naturalmente, ao falecimento de minha prima, a srta. Buckley. Uma autópsia será sem dúvida obrigatória, e parece certo que a morte foi causada por envenenamento, e que o veneno foi administrado com a intenção de matar. Isso é trabalho para a polícia, e não preciso entrar no assunto, mesmo porque a própria polícia preferirá que eu me mantenha fora disso. — O sr. Vyse olhou em volta e continuou:
— Num caso comum, o testamento de uma pessoa falecida só é aberto após o funeral, mas, em deferência a um pedido do Monsieur Poirot, propus-me a ler o documento antes das cerimônias funerárias. Na verdade, vou lê-lo agora e aqui mesmo. Por isso pedi a presença de todos. Como já disse antes, as circunstâncias são tais que justificam a abertura de um precedente. O testamento, para começar, chegou-me às mãos de maneira bastante estranha. Embora datado de fevereiro último, somente hoje o recebi pelo correio. A letra parece ser a de minha prima; não tenho dúvidas a respeito e, se bem que seja um documento completamente informal, está devidamente testemunhado.

O advogado fez uma pausa e pigarreou mais uma vez.

Todos os olhares estavam voltados para ele.

De um longo envelope, ele retirou um papel que nada mais era do que uma página de anotações que eu vira na Casa do Penhasco. No papel havia algo escrito.

— É muito breve o testamento — disse Vyse. Após uma pausa adequada, ele começou a ler:

Estes são os últimos desejos e o testamento de Magdala Buckley. Todas as despesas de meu funeral devem ser pagas. Meu testamenteiro deverá ser meu primo Charles Vyse. Desejo que Mildred Croft seja a herdeira universal de todas as minhas posses no momento de minha morte. Faço isso em retribuição a todos os serviços que prestou a meu pai, Philip Buckley, serviços esses que jamais poderei recompensar.

Assinado: Magdala Buckley
Testemunhas: Ellen Wilson, Willian Wilson

Eu estava atônito! Como todos os outros, creio. Somente a sra. Croft balançava a cabeça como se compreendesse.

— É verdade — disse ela calmamente. — Não queria dizer a ninguém. Mas se não fosse por mim, quando Philip Buckley esteve na Austrália, não sei o que seria dele. Mas não quero falar nisso: sempre foi um segredo, e deve permanecer assim. Nick sabia. Seu pai deve ter lhe contado. Viemos até aqui porque queríamos ver o lugar. Philip Buckley vivia falando da Casa do Penhasco, e tínhamos curiosidade de ver a casa. A pobre menina sabia de tudo e procurou fazer o impossível por nós. Queria que morássemos com ela, mas nós nunca faríamos isso. Então ela insistiu em que ficássemos no chalé e não queria receber um tostão de aluguel. Nós queríamos pagar, é claro, mas ela devolvia sempre o dinheiro. E agora isso! Quem disser que no mundo não existe gratidão, eu direi que não é verdade! Este testamento é prova bastante!

Reinava um silêncio de surpresa completa. Poirot olhou para Vyse.

— O senhor sabia disso?

Vyse sacudiu a cabeça, negando.

— Eu sabia que Philip Buckley tinha visitado a Austrália, mas nunca ouvi nada a respeito de qualquer escândalo por lá.

Ele olhou inquisitivo para a sra. Croft, mas ela sacudiu a cabeça:

— Não direi uma palavra. Nunca revelei nada e não vou começar agora. O segredo irá comigo para o túmulo.

Vyse não disse palavra, apenas batia na mesa com o lápis.

— Creio, Monsieur Vyse, que o senhor, como parente mais próximo, poderia contestar o testamento — disse Poirot inclinando-se para a frente. — Estamos discutindo agora o destino de uma enorme fortuna, que não existia na época em que o testamento foi feito.

Vyse olhou para ele friamente.

— Este testamento é perfeitamente válido. Não me passa pela cabeça contestar a maneira pela qual minha prima dispõe de suas posses.

— O senhor é muito honesto e vou recompensá-lo por isso — prometeu a sra. Croft.

Charles Vyse pareceu um pouco embaraçado e arrependido de suas palavras.

— Isso é uma surpresa e tanto, Mãe! — disse o sr. Croft com uma alegria que não podia esconder. — Nick não me contou o que pretendia fazer.

— Querida menina! — murmurou a sra. Croft, enxugando os olhos. — Gostaria que ela pudesse ver-nos aqui embaixo neste momento. Quem sabe ela nos vê?

— Quem sabe? — concordou Poirot.

De repente, ele olhou em volta, e algo veio-lhe à cabeça.

— Tenho uma ideia! Estamos todos à volta da mesa. Vamos organizar uma sessão espírita!

— Uma sessão espírita? — perguntou a sra. Croft meio chocada. — Mas escute...

— Não, não! Vai ser muito interessante. Meu amigo Hastings possui grande capacidade de mediunidade. — "Por que eu e não outra pessoa qualquer?", pensei. — É uma oportunidade única para receber mensagens do além. As condições não poderiam ser mais propícias. Você não acha, Hastings?

— Muito boas mesmo — respondi resolutamente, decidido a levar o jogo adiante.

— Ótimo! Eu sabia. Agora, as luzes — disse Poirot.

Num instante ele se levantou e apagou tudo. Os acontecimentos se sucederam tão rapidamente que ninguém teve tempo de protestar, mesmo que não estivesse de acordo. Aliás, eu acho que todos ainda estavam sob a ação do impacto do testamento.

A sala não ficou completamente às escuras. As janelas e as cortinas estavam abertas, e por aí entrava uma ligeira luminosidade. A noite estava muito quente. Ficamos quietos e calados por alguns minutos, e logo comecei a perceber no escuro o contorno da mobília. Eu imaginava o que fazer naquelas circunstâncias e, mentalmente, maldizia Poirot por não me ter dado instruções antecipadamente.

Comecei a respirar ruidosamente. Fechei os olhos.

Logo depois Poirot veio até minha cadeira. Voltando para seu lugar, ele murmurou:

— Sim, ele já entrou em transe. Daqui a pouco... coisas começarão a acontecer.

Quando se fica no escuro, sentado e calado, não sei por quê, uma sensação de receio se apodera de nós. Eu estava nervoso e tenho certeza de que todos também estavam. Eu, pelo menos, desconfiava do que ia acontecer, pois sabia do detalhe essencial que todos ignoravam. Apesar disso, fiquei com o coração aos pulos quando vi a porta da sala que se abria lentamente.

A porta não fez nenhum ruído (tenho certeza de que Poirot a tinha lubrificado). O efeito era sinistro: a porta ficou aberta, e nada aconteceu. Só uma lufada de ar frio entrou na sala. Eu sabia que devia ser apenas uma corrente de ar vinda do jardim e passando pelas janelas abertas, mas naquele ambiente pareceu-me exatamente aquela onda de ar frio que entra com os fantasmas, nas histórias de terror.

E *então nós todos percebemos!* Emoldurada na porta uma figura branca esvoaçante. Nick Buckley!

Ela avançou devagar e silenciosamente: seus movimentos etéreos e lentos nem pareciam humanos. Ela flutuava.

Vi então que grande atriz o mundo tinha perdido. Nick queria montar uma peça na Casa do Penhasco e desempenhar um papel nela. Era o que a jovem fazia de todo coração, gozando cada momento da encenação. Ela estava perfeita.

Nick flutuou até o meio da sala. Súbito, o silêncio foi quebrado.

Ouviu-se um grito abafado vindo da cadeira perto de mim. Um som estranho saiu dos lábios do sr. Croft. Challenger soltou uma exclamação assustada. Charles Vyse arrastou a cadeira num movimento brusco. Lazarus inclinou-se para a frente. Só Frederica não se moveu nem emitiu nenhum som.

Um grito cortou o ar. Ellen saltou da cadeira.

— É ela! Ela voltou! Os assassinados sempre voltam. É ela! É ela!

Então, com um clique, as luzes se acenderam.

Vi Poirot ao lado do interruptor, um sorriso de diretor de cena bem-sucedido nos lábios. Nick permaneceu no meio da sala, envolta nos panos brancos.

Frederica foi a primeira a falar. Ela estendeu a mão, incrédula, e tocou a amiga.

— Nick! — disse ela. — Você... Você é real.

Era quase um sussurro. Nick riu e avançou para ela.

— Sim. Sou bem real — disse ela. E continuou: — Obrigada por tudo que fez por meu pai, sra. Croft, mas acho que ainda não se beneficiará desse testamento.

— Meu Deus! Oh! Meu Deus! Leve-me embora, Bert. Leve-me! — balbuciou a sra. Croft com dificuldade, mexendo-se na cadeira para lá e para cá. E para Nick: — Foi uma piada, querida. Nada mais que uma brincadeira. Juro.

— Uma brincadeira muito estranha.

A porta tinha se aberto outra vez, e alguém entrara tão silenciosamente que eu nem tinha visto. Para grande surpresa minha, era Japp, o inspetor. Ele acenou para Poirot como que confirmando algo. Depois, com um largo sorriso, dirigiu-se para a inquieta figura na cadeira de rodas.

— Mas vejam só! Que surpresa! Quem vejo aqui? Uma velha amiga: Milly Merton! E outra vez fazendo das suas, minha querida.

Voltou-se então para o grupo, ignorando os estridentes protestos da sra. Croft.

— Milly Merton é a falsária mais esperta que já conheci. Eu sabia que tinha acontecido um acidente com o carro em que fugiram da última vez, mas nem mesmo com problemas de coluna Milly deixaria de se meter em encrencas outra vez. Ela é uma verdadeira artista.

— Quer dizer que o testamento é falso? — perguntou Vyse, incrédulo.

— É claro que é falso! — disse Nick sarcástica. —Você então acredita que eu faria uma coisa dessas? Eu deixei a Casa do Penhasco para você, Charles, e o resto para Frederica.

Ela atravessou a sala enquanto falava e aproximou-se de sua amiga. Exatamente neste instante, aconteceu o imprevisto!

Um clarão de fogo e o assovio de uma bala vieram da janela. Outro clarão e outro assovio do lado de fora, e o barulho surdo de um corpo que cai com um gemido.

Um fio de sangue descia pelo braço de Frederica, de pé.

20
J.

Foi tudo tão súbito e rápido que, por um momento, ninguém sabia o que tinha acontecido.

Com uma exclamação, Poirot correu para a janela. Challenger seguiu-o.

Pouco depois reapareceram os dois carregando o corpo inanimado de um homem. Quando o colocaram cuidadosamente numa poltrona e a luz incidiu em cheio sobre o rosto, não pude impedir um grito.

— O rosto! O rosto da janela!

Era o homem que nos estivera espionando na noite anterior. Reconheci-o imediatamente e vi que de fato tinha exagerado quando disse que nem parecia humano. Mesmo assim, havia algo em sua expressão que justificava minha opinião.

Era um rosto de alguém perdido do resto dos homens.

Pálido, esquálido, degenerado, era somente uma máscara, como se a alma não estivesse mais ali há muito tempo. Da têmpora saía um filete de sangue.

Frederica aproximou-se devagar.

Poirot segurou-a.

— Está ferida, Madame?

Ela disse que não com a cabeça.

— A bala só raspou meu ombro. — Ela o empurrou brandamente e inclinou-se sobre a criatura na poltrona.

O homem abriu os olhos e a viu.

— Dessa vez eu agi por você — rosnou o homem entre os dentes. Logo em seguida, a voz mudou, tornando-se quase infantil: — Freddie, eu não queria fazer isso! Eu não queria. Você sempre foi tão correta comigo...

— Não se preocupe.

Ela se ajoelhou ao lado dele.

— Eu não que... — E a frase não pôde ser terminada.

Frederica olhou para Poirot.

— Sim, ele está morto, Madame.

Ela se levantou devagar e olhou para o corpo. Com dedos piedosos, tocou a testa do homem, suspirou fundo e virou-se para o grupo.

— Ele era meu marido.

— J. — murmurei.

Poirot escutou-me e acenou afirmativamente.

— Eu sempre achei que havia um J. Desde o começo, não é? — perguntou Poirot.

— Ele era meu marido — repetiu Frederica, com voz cansada. E deixou-se cair numa cadeira que Lazarus tinha trazido para ela. — Agora, é melhor contar tudo.

E começou:

— Ele era inteiramente corrupto. Um viciado que me ensinou a tomar drogas. Luto desde que nos separamos para curar-me do vício. Foi muito difícil, mas acho que estou quase lá. Foi terrivelmente difícil, ninguém pode imaginar o quanto sofri por isso. Nunca consegui me livrar dele. Ele aparecia de repente e exigia dinheiro com ameaças. Uma espécie de chantagem; se eu não lhe desse o dinheiro, ele se suicidaria. Era o que sempre dizia. Depois passou a me ameaçar de morte. Não era uma pessoa responsável. Ele era maluco, louco... Acho que foi ele quem matou Maggie Buckley. É claro que não era ela que ele queria matar. Era eu. Sei que deveria ter contado tudo antes, mas não tinha certeza. Os estranhos atentados contra Nick, quase acreditei que fosse ele o causador. Mas podia ser outra pessoa completamente diferente. Até que um dia vi sua letra num pedaço de papel rasgado, na mesa do Monsieur Poirot. Era parte de uma carta para mim. Vi que o Monsieur Poirot estava no rastro dele. Seria só uma questão de tempo. O que não entendo são os bombons. Ele não teria razões para envenenar Nick. E, de qualquer maneira, não vejo como poderia estar metido nisso. Já pensei, pensei, e não cheguei a nenhuma conclusão. — Ela escondeu o rosto nas mãos. Depois levantou a cabeça e disse pateticamente: — Isso é tudo....

21
K.

Lazarus correu para ela.

— Minha querida, minha querida.

— Poirot foi até o bar, voltou com um cálice de vinho para ela e ficou olhando até que bebesse tudo.

A sra. Rice devolveu-lhe o copo e sorriu.

— Estou bem agora — disse ela. — Que vamos fazer?

Ela olhou para Japp, mas ele sacudiu a cabeça.

— Estou de férias, sra. Rice. Só estou aqui ajudando um velho amigo. A polícia de Saint Loo está encarregada do caso.

Ela virou-se para Poirot.

— E Monsieur Poirot está encarregado da polícia de Saint Loo?

— Que ideia, Madame! Sou um simples consultor.

— Monsieur Poirot — disse Nick —, não podemos abafar o caso?

— A senhorita quer que seja assim?

— Quero. Afinal, eu sou a pessoa mais envolvida e não acredito que haja mais atentados.

— Isso é verdade. Não haverá mais atentados.

— O senhor está pensando em Maggie, Monsieur Poirot, mas nada pode trazê-la de volta. Se isso tudo for publicado, só trará sofrimento para Frederica, e ela não merece isso.

— A senhorita diz que ela não merece?

— Claro que não! Contei-lhe desde o início que espécie de marido ela tinha. O senhor viu hoje o que ele era. Ele está morto.

Que seja a palavra final. Deixe que a polícia continue procurando o homem que matou Maggie Buckley. Eles não vão encontrá-lo, só isso.

— Então é o que quer: abafar o caso.

— Por favor, caro Monsieur Poirot. Por favor!

Poirot olhou em volta.

— Que dizem os senhores?

Cada um falou por sua vez.

— Eu concordo — disse eu.

— Eu também — disse Lazarus.

— É o melhor a fazer — observou Challenger.

—Vamos esquecer tudo o que passou nesta sala hoje — disse Croft com muita ênfase.

— Para você seria o melhor mesmo! — interrompeu Japp.

— Não seja muito severa comigo, queridinha — pediu a sra. Croft para Nick, que a olhou com desprezo e não respondeu.

— Ellen?

— Eu e William não diremos uma palavra. Quanto menos se falar, melhor.

— E o senhor, Monsieur Vyse?

— Uma coisa como esta não pode ser abafada: os fatos devem ser revelados a quem de direito.

— Charles! — gritou Nick.

— Desculpe, querida. Olho para o caso sob o aspecto legal.

Poirot riu de repente.

— Então são sete a um. Japp é neutro.

— Estou de férias — sorriu Japp. — Não conte comigo.

— Sete a um. Só Monsieur Vyse ao lado da lei e da ordem. Sabe, Monsieur Vyse, o senhor é um homem de caráter.

— Nossa posição é óbvia. Só há uma coisa a fazer — respondeu Vyse.

— Sim. O senhor é um homem honesto. Bem, eu estou com a minoria e a favor da verdade.

— Monsieur Poirot! — exclamou Nick.

— A senhorita me envolveu no caso porque quis. Não pode obrigar-me a ficar calado.

Ele levantou um dedo ameaçador, num gesto que eu conhecia bem.

— Sentem-se todos, que eu vou contar a verdade.

Calaram-se todos diante de sua atitude autoritária. Sentamo-nos e esperamos, atentos.

— Escutem! Tenho aqui uma lista de pessoas ligadas ao crime. Vai de A até J. J. seria uma pessoa que eu não conhecia e que estaria ligada ao crime por uma das outras. Não sabia quem era J. até esta noite, mas sabia de sua existência. Os acontecimentos provaram que eu estava certo. Mas ontem cheguei à conclusão de que tinha cometido um erro grave. Tinha omitido alguém. Acrescentei então outra letra à minha lista. A letra K.

— Outra pessoa desconhecida? — resmungou Vyse levemente sarcástico.

— Não exatamente. Adotei J. como símbolo de um desconhecido. Outro desconhecido seria apenas outro J. A letra K. significa outra coisa: representa uma pessoa que deveria ter sido incluída na lista original e que foi omitida.

Poirot inclinou-se para Frederica.

— Não se preocupe, Madame, seu marido não era um assassino. Foi K. quem matou Mademoiselle Maggie.

— Mas quem é K.? — perguntou ela espantada.

Poirot acenou para Japp, que começou a falar como se estivesse prestando depoimento num tribunal.

— De acordo com a sugestão que recebi, estive nesta casa desde hoje à tarde. O Monsieur Poirot me infiltrou aqui às escondidas. Estava atrás das cortinas da sala de estar. Quando todos estavam reunidos aqui, na sala de jantar, uma moça entrou na outra sala e acendeu a luz. Foi até a lareira e abriu um compartimento secreto, cuja porta parecia ser acionada por uma mola. A jovem retirou do esconderijo uma pistola e a levou consigo. Segui-a e, abrindo uma fresta da porta, pude observar seus movimentos. Os agasalhos estavam todos no saguão. A jovem limpou a pistola cuidadosamente com um lenço e a colocou no bolso de um casaco cinzento, que creio ser da propriedade da sra. Rice...

Um grito saiu dos lábios de Nick:
— É mentira! É tudo mentira!
Poirot apontou para ela.
— *Voilà!* K. Foi a Mademoiselle Nick quem matou a própria prima, Maggie Buckley.
— Está louco? — gritou Nick. — Por que mataria Maggie?
— Para herdar a fortuna que Michael Seton tinha deixado para ela, que também se chamava Magdala Buckley. Ela era a noiva de Michael Seton, e não a senhorita.
— Seu...! Seu...! — Nick nem conseguia falar, de abismada e trêmula que estava.
Poirot virou-se para Japp.
— Chamou a polícia?
— Sim. Estão esperando no saguão. Já têm a ordem de prisão.
— Estão todos loucos! — exclamou Nick com desprezo. Aproximou-se rapidamente de Frederica e disse: — Freddie, você me dá seu relógio de pulso como lembrança?
Devagar, Frederica retirou o relógio e o entregou a Nick.
— Obrigada. E agora continuemos esta comédia ridícula.
— A comédia que a senhorita planejou e encenou na Casa do Penhasco. Sim... Mas não devia ter entregado a Hercule Poirot o papel principal. Esse, Mademoiselle, foi o seu maior erro.

22
O fim da história...

— Querem que explique? — perguntou Poirot com um sorriso de triunfo e o ar de falsa modéstia que eu conhecia tão bem.

Tínhamos ido para a sala de estar, pois éramos poucos agora. Os empregados tinham saído discretamente, e os Croft tinham ido com a polícia. Só estávamos Frederica, Lazarus, Challenger, Vyse e eu.

— Confesso que fui enganado. A pequena Nick me tinha onde queria, como dizem vocês na sua língua. Madame, quando disse que sua amiga era uma hábil mentirosa, sabia o que estava dizendo!

— Nick sempre mentiu — disse Frederica séria. — Foi por isso que não acreditei em suas escapadas milagrosas.

— Imbecil que sou, eu acreditei!

— Mas elas foram reais! — contestei. Tinha de admitir que continuava completamente confuso.

— Foram arquitetadas com maestria, para dar exatamente essa impressão.

— Impressão de quê?

— De que a vida de Mademoiselle Nick estava em perigo. Mas vou começar antes: vou contar a história com todos os detalhes que consegui reunir. Tudo na devida ordem e não aos clarões, aos pedaços, como fui percebendo aos poucos.

— Para começar, temos uma jovem bonita e sem escrúpulos, com uma paixão fanática pela casa dos ancestrais: Nick Buckley.

— Isso eu já disse — concordou Vyse.

— E o senhor estava certo. Ela amava a Casa do Penhasco, a casa estava hipotecada e ela não tinha com que pagar. Nick precisava urgentemente de dinheiro e não tinha onde consegui-lo. Então conhece o jovem Seton em Le Touquet, e o rapaz se apaixona... A jovem sabia muito bem que ele seria o único herdeiro de um tio que valia milhões. Ótimo, a sorte parecia estar de seu lado, pensa ela. Mas o namoro não durou. Ele só queria divertir-se com ela. Encontram-se em Scarborough, ele a convida para voar, e uma catástrofe acontece: Seton conhece Maggie, e é amor à primeira vista.

"Mademoiselle Nick fica espantadíssima. Afinal, sua prima nem bonita era, em sua opinião. Mas acontece que, para Seton, Maggie era diferente, a única mulher no mundo para ele. Ficam noivos secretamente, e só uma pessoa sabe do noivado: Mademoiselle Nick. A pobre Maggie sente-se até feliz de ter alguém com quem falar. Sem dúvida deve ter lido para a prima algumas partes das cartas do noivo. É assim que a Mademoiselle fica sabendo do testamento. Na hora, ela não dá muita atenção ao fato, mas ele fica no subconsciente.

Aí Sir Matthew morre súbita e inesperadamente. Além disso, começam a correr os boatos do desaparecimento de Michael Seton. Imediatamente, Nick arquiteta um plano incrível. Seton não sabe que ela também se chama Magdala. Só a conhece como Nick. No testamento bastante informal, só há a menção do nome. Mas aos olhos do mundo, Seton é seu amigo. É ao seu nome que o nome dela tem sido associado. Se ela disser que é noiva dele, ninguém vai estranhar. Mas para dar certo, Maggie precisa ser eliminada. O tempo é curto para isso. Nick então convida Maggie para vir passar uns dias aqui. Acontecem os supostos atentados contra a vida de Nick Buckley, dos quais ela sempre escapa milagrosamente: ela corta o arame que sustenta o quadro acima de sua cama, depois mexe nos freios do carro. Quanto à pedra que quase a atingiu, talvez não tenha sido provocado por ela, e Nick só tenha inventado que estava no caminho.

A essa altura dos acontecimentos, ela vê meu nome no jornal (bem que disse, Hastings, que todos conhecem Poirot...). Tem então a audácia de me fazer seu cúmplice. A bala que atravessou o chapéu cai a meus pés. E começa a comédia! Acreditei no perigo que a ameaçava. *Bon!* Ela já tem uma testemunha valiosa. Faço seu jogo, sem saber, dizendo-lhe que convide uma amiga para escoltá-la. Nick agarra a oportunidade e chama Maggie um dia antes.

Daí por diante é fácil. Ela sai durante o jantar e se certifica da morte de Seton pelo rádio. Está na hora de entrar em ação com seu plano. Tem tempo de sobra para escolher, entre as cartas de Seton para Maggie, quais as que lhe interessam. Leva estas últimas para seu quarto. Na hora dos fogos, Maggie e ela vão até a casa. Nick diz à prima que ponha seu xale, e então, por trás, atira e mata Maggie. Uma corrida rápida para dentro de casa e a pistola desaparece no nicho secreto, de cuja existência ela pensa que ninguém suspeita. Depois, escada acima, de onde ela espera até ouvir as vozes. O corpo é descoberto. É o momento de descer. Vem correndo pela porta.

Que atriz Nick Buckley se revelou! Magnífica. Ela encenou muito bem uma tragédia. A empregada, Ellen, me disse uma vez que havia maldade nesta casa. Estou começando a acreditar. Foi da casa que Mademoiselle Nick tirou sua inspiração."

— E os bombons envenenados? — perguntou Frederica. — Ainda não compreendi.

— Foi tudo parte do mesmo esquema. Não percebe que, se acontecesse algum atentado depois que Maggie estivesse morta, seria a prova cabal de que não era Maggie que queriam matar? Quando ela achou que tinha chegado a hora, telefonou para a Madame e pediu-lhe uma caixa de bombons.

— Então era a voz de Nick?

— Mas claro! Quantas vezes a explicação mais simples é a verdadeira, não é? Ela apenas modificou um pouco a voz, de maneira que a senhora ficasse em dúvida mais tarde. Quando a caixa de bombons chegou, ela recheou três deles com cocaína

(Nick trazia cocaína com ela, muito bem escondida), e comeu um. Só o necessário para fazer mal, sem maiores consequências. Ela sabia muito bem a quantidade que devia ingerir e quais os sintomas que devia exagerar. Ainda há o cartão que acompanhava os bombons. Meu cartão! Decididamente audaciosa essa menina! Era o mesmo cartão que eu tinha mandado com as flores. Simples, muito simples, mas é preciso ter cabeça para pensar nisso.

Houve uma pausa, e Frederica Rice perguntou:

— Por que pôs a pistola no bolso de meu casaco?

— Essa pergunta estava demorando, Madame. Diga: já lhe passou pela cabeça alguma vez que Nick Buckley não gostasse mais da senhora? Já lhe ocorreu que Mademoiselle Nick pudesse detestá-la?

— É difícil dizer — disse Frederica devagar. — Nós levávamos uma vida de aparências. Ela parecia gostar de mim.

— E quanto ao senhor, Monsieur Lazarus? Não é o momento para falsa modéstia: já houve alguma coisa entre o senhor e Nick Buckley?

— Não — respondeu Lazarus. — Fiquei caído por ela uma vez, mas passou. Não sei por quê, mas passou.

— Esta era a tragédia dela. Ela atraía as pessoas, mas depois se afastavam dela sem razão. Em vez de gostar mais e mais dela, o senhor apaixonou-se por sua amiga. Nick começou a detestar a Madame, porque a senhora tinha um amigo rico a seus pés. No inverno passado ela fez o testamento. Então ainda gostava da senhora. Mais tarde tudo mudou.

"Nick se lembrava bem do testamento, que daria um motivo para que a senhora desejasse a morte dela. Só não sabia que Croft tinha desaparecido com ele, e que o testamento nunca tinha chegado ao seu destino. Por isso Nick telefonou para a senhora pedindo os bombons. Hoje, quando lessem o testamento, todos saberiam que a senhora era a herdeira universal. Logo depois a pistola que matou Maggie Buckley seria encontrada no bolso de seu casaco. Se a senhora encontrasse a arma primeiro, provavelmente tentaria livrar-se dela e com isso se incriminaria."

— Ela devia mesmo me odiar — murmurou Frederica.

— A senhora tinha o que ela não tinha: o poder de despertar o amor e conservá-lo.

— Eu não sou lá muito inteligente — disse Challenger —, mas não consegui entender o negócio do testamento.

— Ainda não? Esta é uma história muito diferente: os Croft estão aqui escondidos. Mademoiselle Nick vai ser submetida a uma operação. A moça nunca tinha feito testamento. Os Croft viram aí sua oportunidade. Eles a convencem de que o testamento é necessário e que eles mesmos enviariam o documento pelo correio. O plano é inteligente: se alguma coisa acontecesse a ela, se ela morresse, eles apareceriam com um testamento falso, deixando todo o dinheiro para a sra. Croft e fazendo referências à Austrália e a Philip Buckley, que já tinha viajado por lá. Mas Mademoiselle Nick passa pela operação sã e salva, e o testamento falso não serve para nada. Pelo menos por enquanto. Aí os atentados começam. Os Croft ficam esperançosos outra vez. Eu anuncio a morte dela. A oportunidade é boa demais para ser desperdiçada. Imediatamente, o testamento falso é enviado ao Monsieur Vyse. Naturalmente, eles pensavam que ela era muito mais rica do que realmente é. Não sabiam de nada a respeito da hipoteca.

— O que eu quero saber é como o senhor soube de tudo isso e quando começou a suspeitar, Monsieur Poirot — disse Lazarus.

— Fico até envergonhado de lhe contar o tempo que levei para suspeitar. Havia coisas que me intrigavam. Coisas que não me pareciam certas. Diferenças de opinião entre Mademoiselle Nick e as outras pessoas. Mas eu sempre acreditava em Mademoiselle Nick. Aí veio a revelação. Mademoiselle Nick cometeu um erro. Achou que era inteligente demais. Quando lhe pedi que chamasse uma amiga, ela me prometeu que o faria, mas omitiu o fato de que já tinha chamado Mademoiselle Maggie. Pareceu--lhe mais prudente, mas foi um erro, porque Maggie Buckley escreveu para casa assim que chegou e usou na carta uma frase que me intrigou: *"Não sei por que me telegrafou com aquela pressa toda. Se telegrafasse na terça-feira daria no mesmo."* Que significava aquela menção à terça-feira? Que Maggie viria na terça de qualquer maneira. Então Mademoiselle Nick tinha mentido ou, simplesmente, omitido a verdade. Pela primeira vez, meu ponto de vista começou a mudar. Pensei comigo mesmo: imaginemos que o que ela disse era mentira, que os outros estavam certos. Lembrei-me de todas as diferenças de opinião. Como seriam as coisas se Mademoiselle Nick estivesse mentindo e não as outras pessoas? Vamos simplificar: o que aconteceu realmente? Maggie Buckley foi assassinada. Só isso! Quem poderia desejar o desaparecimento de Maggie Buckley?

"Pensei então em outra coisa: num comentário inconsequente que Hastings tinha feito minutos antes. Ele tinha dito que havia muitas reduções para Margaret: Maggie, Margot etc. Qual seria o verdadeiro nome de Mademoiselle Maggie? Neste momento, vi tudo claro! Suponhamos que seu nome fosse Magdalas. Era um nome comum na família Buckley, Mademoiselle Nick tinha dito. Duas Magdalas Buckley. Lembrei-me das cartas de Seton que eu tinha lido. Não, não era impossível. Ele mencionava Scarborough, mas Maggie tinha estado lá com Nick, a mãe dela me tinha dito isso. Começava a ficar claro um ponto que me tinha preocupado na ocasião: por que tão poucas cartas guardadas? Se uma moça quer guardar suas cartas de amor, guarda todas e não só algumas. Porque só aquelas em particular? Então lembrei-me de que, em nenhuma delas, havia o nome Nick, por mais diferentes que elas começassem. E havia ainda outro detalhe gritante."

— Qual? — perguntamos todos.

— Só isto: Mademoiselle Nick tinha sofrido uma operação no dia 27 de fevereiro. Na carta datada de 2 de março, Michael Seton não menciona a operação ou qualquer preocupação sobre o estado físico de Maggie. Só este pormenor devia ter chamado minha atenção para o fato de que as cartas eram endereçadas a outra pessoa e não a Nick. Consultei então minha lista de perguntas e respondi a elas levando em consideração esse novo ponto de vista. As respostas tornaram-se simples e convincentes. Além disso, respondi a uma outra pergunta que tinha ficado sem resposta: "*Por que Mademoiselle Nick teria comprado um vestido preto?*" É simples: ela e a prima tinham de estar vestidas de modo semelhante, na mesma cor, tendo o xale como toque adicional. Essa era a resposta certa, não a outra. Uma jovem nunca compraria um vestido de luto antes de saber se a pessoa estava realmente morta ou não. Parecia pouco natural.

"Então resolvi encenar minha peça teatral. E o que eu esperava aconteceu. Nick Buckley tinha negado terminantemente a existência de um nicho secreto. Por outro lado, eu não via razão para Ellen ter inventado isso. Se ele existia, por que Nick teria negado com tanta veemência? Teria escondido a pistola lá com intenção de incriminar outra pessoa mais tarde? Deixei-a pensar que eu suspeitava fortemente da Madame. Era exatamente o que ela queria: não poderia deixar passar a oportunidade para providenciar a prova final contra a senhora. Além disso, era melhor para ela tirar a pistola do nicho secreto antes que Ellen a encontrasse lá. Hoje à noite tudo parecia fácil: estávamos todos na sala de jantar. Ela esperava o sinal para entrar. Era só tirar a pistola do esconderijo e colocar no bolso do casaco da Madame. No último momento, porém, ela fracassou..."

Frederica estremeceu.

— De qualquer maneira, estou satisfeita de lhe ter dado meu relógio.

— Também acho, Madame.

Ela olhou para ele espantada:

— O senhor sabia disso também?

Neste momento, eu interrompi a conversa:

— E Ellen? Ela sabia ou suspeitava de alguma coisa?

— Não. Perguntei-lhe, e ela me disse que decidira ficar em casa naquela noite porque sentira que algo ia acontecer. Acho que Nick insistiu demais para que ela fosse ver os fogos. E ela me disse que "sentia em seu íntimo" que algo ia acontecer. Ellen, de algum modo, tinha percebido que Nick não gostava da Madame e pensou que a senhora seria a vítima. Ela conhecia muito bem o gênio de Nick Buckley, que sempre tinha sido uma menina estranha.

— Sim — murmurou Frederica —, tentemos pensar nela apenas como uma menina estranha. É isso o que vou fazer, de qualquer jeito...

Poirot beijou-lhe a mão.

Charles Vyse mexeu-se inquieto.

— Vai ser um negócio muito desagradável. Preciso pensar numa defesa para ela.

— Acho que não vai ser necessário — comentou Poirot —, se minhas suposições estiverem certas.

Virou-se de repente para Challenger.

— É nos relógios de pulso que o senhor coloca a droga, não é?

— Eu... Eu... — gaguejou Challenger atrapalhado.

— Não tente enganar-me com seus modos simpáticos. O senhor enganou Hastings, mas não engana Hercule Poirot. O senhor deve fazer um bom dinheiro com tráfico de drogas, não é? O senhor e seu tio em Harley Street.

— Monsieur Poirot. — Challenger levantou-se.

Meu amigo olhou para ele calmamente.

— O senhor é o amiguinho útil. Negue se quiser, mas aconselho-o a desaparecer já, se não quiser ver os fatos nas mãos da polícia.

Para minha surpresa completa, Challenger se foi imediatamente. Fiquei boquiaberto.

Poirot riu.

— Eu lhe disse, *mon ami*, que seus instintos sempre falham. É incrível!

— A cocaína estava no relógio de pulso...? — comecei.

— Isso mesmo. A cocaína estava à disposição de Mademoiselle Nick, na casa de saúde. Foi porque acabou seu suprimento que ela pediu o relógio da Madame, o qual estava cheio.

— Você quer dizer que...? — gaguejei.

— É a melhor saída para ela. Melhor que o carrasco. Mas não devemos dizer isso diante do Monsieur Vyse, que é partidário da lei e da ordem. Oficialmente, não sei de nada. A respeito do conteúdo do relógio, é só uma suposição.

— Suas suposições são sempre corretas, Monsieur Poirot — disse Frederica.

— Preciso ir — disse Charles Vyse, a desaprovação transparecendo na voz.

Poirot olhou de Frederica para Lazarus.

— Vocês vão se casar, não é?

— Assim que pudermos.

— E saiba, Monsieur Poirot, que não sou a viciada que o senhor julga. Reduzi a dose para uma quantidade mínima e, com a felicidade diante de mim, acho que nem vou precisar mais de relógio...

— Espero que seja mesmo feliz, Madame — disse Poirot.

— Sofreu muito e, apesar de toda a angústia, ainda sabe perdoar.

— Vou tomar conta dela — disse Lazarus. — Os negócios não andam bem, mas creio que superarei a crise. E se não conseguir, Frederica não se incomoda de ser pobre em minha companhia.

Ela sorriu.

— Já é tarde — disse Poirot, olhando para o relógio.

Todos nos levantamos.

— Foi uma noite bem estranha numa casa estranha. É bem como disse Ellen: uma casa impregnada de maldade no ar — comentou Poirot.

Ele olhou para o retrato do velho Sir Nicholas e puxou Lazarus para um canto.

— Desculpe, mas só tenho uma pergunta sem resposta: por que ofereceu cinquenta libras por aquele quadro? Gostaria de saber, apenas para ter todas as respostas.

Lazarus olhou para ele, impassível, por alguns segundos. Depois sorriu.

— O senhor sabe, Monsieur Poirot, eu sou negociante.

— Exatamente.

— Este quadro não vale mais que vinte libras. Eu sabia que, se oferecesse cinquenta, Nick desconfiaria que valia mais e mandaria avaliar. Ela então ia descobrir que eu tinha oferecido mais do que o valor do quadro. Assim, quando eu quisesse comprar outro quadro, ela não ia mandar avaliar.

— Sim, mas e daí?

— O quadro naquela parede do fundo vale pelo menos cinco mil libras — respondeu Lazarus secamente.

— Ah! Agora sei todas as respostas — disse Poirot, com um suspiro feliz.

SOBRE A AUTORA

Agatha Christie nasceu em Torquay, cidade da Inglaterra, em 1890, e tornou-se a romancista mais vendida de todos os tempos. Escreveu oitenta romances e coletâneas de contos, além de mais de uma dúzia de peças, incluindo *A ratoeira*, produção que ficou mais tempo em cartaz na história teatral. Agatha também escreveu uma autobiografia, publicada no Brasil em 1977. Embora seu nome seja sinônimo de ficção policial, a extensão dos temas em seus romances é extraordinária, e Agatha realmente merece um lugar de destaque como uma das mais queridas escritoras de todos os tempos.

Seu sucesso permanente, ampliado pelas inúmeras adaptações para o cinema e para a tevê, é um tributo ao eterno fascínio de seus personagens e à absoluta engenhosidade de suas tramas.

Agatha Christie morreu em 1976, aos 85 anos, de causas naturais.

Surpreso com o desfecho desse mistério?

Não deixe de conferir outros desafios que
a Rainha do Crime preparou para seus detetives:

A mansão Hollow (*Hercule Poirot*)
Assassinato no Expresso do Oriente (*Hercule Poirot*)
Cem gramas de centeio (*Srta. Marple*)
Morte na Mesopotâmia (*Hercule Poirot*)
Morte no Nilo (*Hercule Poirot*)
Nêmesis (*Srta. Marple*)
O mistério dos sete relógios
Os crimes ABC (*Hercule Poirot*)
Os elefantes não esquecem (*Hercule Poirot*)
Os trabalhos de Hércules (*Hercule Poirot*)
Um corpo na biblioteca (*Srta. Marple*)

Este livro foi impresso em 2021, pela Pancrom,
para a HarperCollins Brasil.
A fonte usada no miolo é Bembo, corpo 11/14.